D0773839

Collection folio junior

dirigée par
Jean-Olivier Héron
et Pierre Marchand

Étonnant Jules Verne ! Planté sur le XIXᵉ siècle, il crée le genre du roman scientifique dans lequel abonde l'information inédite mêlée aux situations les plus audacieuses...

Après des études secondaires, il entreprend une thèse de droit qu'il achèvera malgré la tentation de la littérature à laquelle — pour notre plus grand plaisir — il cédera. Agent de change durant le jour, il étudie, la nuit, les mathématiques, la physique, la géographie, la botanique, pour construire son œuvre.

Sa rencontre avec Hetzel sera décisive : ce grand éditeur, enthousiasmé par les manuscrits de Verne, lui propose un contrat propre à stimuler le génie de l'auteur de *Vingt mille lieues sous les mers*.

Pour Jules Verne, la science c'est le mouvement incessant qui part de l'homme et y revient avec une provision de connaissances, d'images et de rêves. Il s'agit d'une science apprivoisée, attentive aux besoins de l'homme, prête à le servir sans jamais l'asservir. On est loin de l'âpre réalité qui avait cours à l'époque. Mais ce naïf, cet émouvant mélange de connaissances, de bricolage ingénieux, de fulgurantes visions futuristes est toujours à hauteur d'homme.

Jules Verne est né à Nantes en 1828, et mort à Amiens en 1905.

Enki Bilal a dessiné la couverture des *Aventures de trois Russes et de trois Anglais dans l'Afrique australe*. Bilal adore la science-fiction, le fantastique. Chez Dargaud, il est l'auteur des illustrations de *La Croisière des oubliés*, du *Vaisseau de pierre*, de *La ville qui n'existait pas*, etc. Pour Gallimard, il a dessiné toutes les illustrations des couvertures des ouvrages de H. G. Wells, de Bradbury, de Jules Verne et de la série Folio Junior science-fiction.

Enki Bilal est né en 1951, à Belgrade. Il possède une chose en commun avec tous les dessinateurs avec lesquels nous travaillons, pour la collection Folio Junior : le talent, bien sûr, mais surtout, la gentillesse.

AVENTURES
DE
3 RUSSES ET DE 3 ANGLAIS
PAR
JULES VERNE
DESSINS PAR J. FERAT

ISBN 2-07-033 226-8

Jules Verne

Aventures de trois Russes et de trois Anglais dans l'Afrique australe

Illustrations de J. Ferat

Gallimard

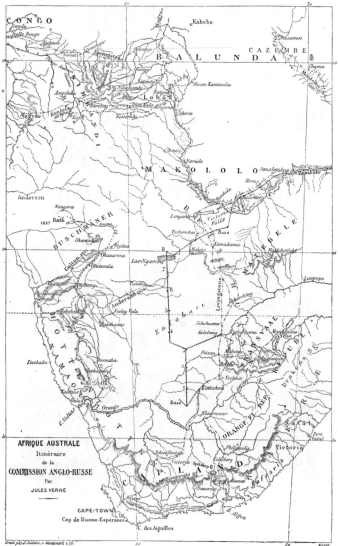

CONGO

Dande
Icolle Bengo
Nbaebé
Angobaba
Magyar
Komfunta
Kigo

BALUNDA

Kabebe

CAZEMBE

Ndeamos

Chama

Livingstone

Bango

Ndchambi
Katemba
Kilu Kala
Kassemba

Lobal

Musso Kantanda
Katemba
Kinyami
Cuhinte

MAKOLOLO

Varièle

Samslembye

Anderson

Nangova
Rath

BUSCHMANER

Okamahall
Otjitua

Chavarona
Otitunda

Galton

Lac Ngami

Tschombes

Monze
Kalomo

Linyanti

Victoria
Falls

Base

Kamakama

BEL

Makelkotloke

Limpopo

1857

Gobabis

Otyhana

Tunobis

Anderson stadt

Verley Vale

Maghanas

Zahobotsi

Otjimbingue

Ithchabo

Bersaba

Bethanien

Kuitius

C des
Kole

J. Orange

HOTTENTOTT

Makeba

Andersett ona

Ka

Kalahari

Livingstone

Schokuane

Kolobeng

Pitsan

Schorbong

Manklisane

Base

Mabotsa

Tor Tschlai

Cattakou

Kladwater

TRANSVAAL

Rusteburg

RUBI

Drakens Bg

C Voltas

ORANGE REP.

LAND

Itschabo

Natal

Port
Natal

CANY

Schietfontein

Victoria
Victoria Spitekop B.

Nieuwveld Bg.

Coleberg

Philippolis

Colesberg
Somerset

Graaff Reinet

Victoria

D Algoa

CAPE-TOWN

C. des Aiguilles

AFRIQUE AUSTRALE
Itinéraire
de la
COMMISSION ANGLO-RUSSE
Par
JULES VERNE

Cap de Bonne-Espérance

Dressé par J. Sulhio, r. Montmart. 176.

I
Sur les bords du fleuve Orange

Le 27 février 1854, deux hommes, étendus au pied d'un gigantesque saule pleureur, causaient en observant avec une extrême attention les eaux du fleuve Orange. Ce fleuve, le Groote-river des Hollandais, le Gariep des Hottentots, peut rivaliser avec les trois grandes artères africaines, le Nil, le Niger et le Zambèse. Comme elles, il a des crues, des rapides, des cataractes. Quelques voyageurs, dont les noms sont connus sur une partie de son cours, Thompson, Alexander, Bruchell, ont tour à tour vanté la limpidité de ses eaux et la beauté de ses rives.

En cet endroit, l'Orange, se rapprochant des montagnes du duc d'York, offrait aux regards un spectacle sublime. Rocs infranchissables, masses imposantes de pierres et de troncs d'arbres minéralisés sous l'action du temps, cavernes profondes, forêts impénétrables que n'avait pas encore défloré la hache du settler, tout cet ensemble, encadré dans l'arrière-plan des monts Gariepins, formait un site d'une incomparable magnificence. Là, les eaux du fleuve, encaissées dans un lit trop étroit pour elles et auxquelles le sol venait à manquer subitement, se précipitaient d'une hauteur de quatre cents pieds. En amont de la chute, c'était un simple bouillonnement des nappes liquides, déchirées çà et là par quelques têtes de roc enguirlandées de branches vertes.

9

En aval, le regard ne saisissait qu'un sombre tourbillon d'eaux tumultueuses, que couronnait un épais nuage d'humides vapeurs, zébrées des sept couleurs du prisme. De cet abîme s'élevait un fracas étourdissant, diversement accru par les échos de la vallée.

De ces deux hommes, que les hasards d'une exploration avaient sans doute amenés dans cette partie de l'Afrique australe, l'un ne prêtait qu'une vague attention aux beautés naturelles offertes à ses regards. Ce voyageur indifférent, c'était un chasseur bushman, un beau type de cette vaillante race aux yeux vifs, aux gestes rapides, dont la vie nomade se passe dans les bois. Ce nom de bushman — mot anglais tiré du hollandais Boschjesman — signifie littéralement « homme des buissons ». Il s'applique aux tribus errantes qui battent le pays dans le nord-ouest de la colonie du Cap. Aucune famille de ces bushmen n'est sédentaire. Leur vie se passe à errer dans cette région comprise entre la rivière d'Orange et les montagnes de l'est, à piller les fermes, à détruire les récoltes de ces impérieux colons qui les ont repoussés vers les arides contrées de l'intérieur, où poussent plus de pierres que de plantes.

Ce bushman, âgé de quarante ans environ, était un homme de haute taille, et possédait évidemment une grande force musculaire. Même au repos, son corps offrait encore l'attitude de l'action. La netteté, l'aisance et la liberté de ses mouvements dénotaient un individu énergique, une sorte de personnage coulé dans le moule du célèbre Bas-de-Cuir, le héros des prairies canadiennes, mais avec moins de calme peut-être que le chasseur favori de Cooper. Cela se voyait à la coloration passagère de sa face, animée par l'accélération des mouvements de son cœur.

Le bushman n'était plus un sauvage comme ses congénères, les anciens Saquas. Né d'un père anglais et d'une mère hottentote, ce métis, à fréquenter les étrangers, avait plus gagné que perdu, et il parlait couramment la langue paternelle. Son costume, moitié hottentot, moitié européen, se composait d'une chemise de flanelle rouge, d'une casaque et d'une culotte en peau d'antilope, de jambières faites de la dépouille d'un chat sauvage. Au cou de ce chasseur était suspendu un petit sac qui contenait un couteau, une pipe et du tabac. Une sorte de calotte en peau de mouton encapuchonnait sa tête. Une ceinture, faite d'une épaisse lanière sauvage, serrait sa taille. A ses poignets nus se contournaient des anneaux d'ivoire confectionnés avec une remarquable habileté. Sur ses épaules flottait un « kross », sorte de manteau drapé, taillé dans la peau d'un tigre, et qui descendait jusqu'à ses genoux. Un chien de race indigène dormait près de lui. Ce bushman fumait à coups précipités dans une pipe en os, et donnait des marques non équivoques de son impatience.

« Allons, calmons-nous, Mokoum, lui dit son interlocuteur. Vous êtes véritablement le plus impatient des hommes — quand vous ne chassez pas ! Mais comprenez donc bien, mon digne compagnon, que nous ne pouvons rien changer à ce qui est. Ceux que nous attendons arriveront tôt ou tard, et ce sera demain, si ce n'est pas aujourd'hui ! »

Le compagnon du bushman était un jeune homme de vingt-cinq à vingt-six ans, qui contrastait avec le chasseur. Sa complexion calme se manifestait en toutes ses actions. Quant à son origine, nul n'eût hésité à la reconnaître. Il était anglais. Son costume, beaucoup trop « bourgeois », indiquait que les déplacements ne lui étaient pas familiers. Il avait l'air d'un employé égaré dans une contrée sauvage, et involontairement, on eût regardé s'il ne portait pas une plume à son oreille, comme les caissiers, commis, comptables, et autres variétés de la grande famille des bureaucrates.

En effet, ce n'était point un voyageur que ce jeune homme, mais un savant distingué, William Emery, astronome attaché à l'observatoire du Cap, utile établissement qui depuis longtemps rend de véritables services à la science.

Ce savant, un peu dépaysé peut-être, au milieu de cette région déserte de l'Afrique australe, à quelques centaines de milles de Cape Town, ne parvenait que difficilement à contenir l'impatience naturelle de son compagnon.

« Monsieur Emery, lui répondit le chasseur en bon anglais, voici huit jours que nous sommes au rendez-vous de l'Orange, à la cataracte de Morgheda. Or, il y a longtemps que pareil événement n'est arrivé à un membre de ma famille, de rester huit jours à la même place ! Vous oubliez que nous sommes des nomades, et que les pieds nous brûlent à demeurer ainsi !

— Mon ami Mokoum, reprit l'astronome, ceux que nous attendons viennent d'Angleterre, et nous pouvons bien leur accorder huit jours de grâce. Il faut tenir compte des longueurs d'une traversée, des retards que le remontage de l'Orange peut occasionner à leur barque à vapeur, en un mot, des mille difficultés inhérentes à une semblable entreprise. On nous a dit de tout préparer pour un voyage d'exploration dans l'Afrique australe, puis cela fait, de venir attendre aux chutes de Morgheda mon collègue, le colonel Everest, de l'observatoire de Cambridge. Voici les chutes de Morgheda, nous sommes à l'endroit désigné, nous attendons. Que voulez-vous de plus, mon digne bushman ? »

Le chasseur voulait davantage sans doute, car sa main tourmentait fébrilement la batterie de son rifle, un excellent Manton, arme de précision, à balle conique, qui permettait d'abattre un chat sauvage ou une antilope à une distance de huit à neuf cents yards. On voit que le bushman avait renoncé au carquois d'aloès et aux flèches empoisonnées de ses compatriotes pour employer les armes européennes.

« Mais ne vous êtes-vous point trompé, monsieur Emery ? reprit Mokoum. Est-ce bien aux chutes de Morgheda, et vers la fin de ce mois de janvier que l'on vous a donné rendez-vous ?

— Oui, mon ami, répondit tranquillement William Emery, et voici la lettre de M. Airy, le directeur de l'observatoire de Greenwich, qui vous prouvera que je ne me suis pas trompé. »

Le bushman prit la lettre que lui présentait son compagnon. Il la tourna et la retourna en homme peu familiarisé avec les mystères de la calligraphie. Puis la rendant à William Emery :

« Répétez-moi donc, dit-il, ce que raconte ce morceau de papier noirci ? »

Le jeune savant, doué d'une patience à toute épreuve, recommença un récit vingt fois fait déjà à son ami le chasseur. Dans les derniers jours de l'année précédente, William Emery avait reçu une lettre qui l'avisait de la prochaine arrivée du colonel Everest et d'une commission scientifique internationale à destination de l'Afrique australe. Quels étaient les projets de cette commission, pourquoi se transportait-elle à l'extrémité du continent africain ? Emery ne pouvait le dire, la lettre de M. Airy se taisant à ce sujet. Lui, suivant les instructions qu'il avait reçues, s'était hâté de préparer à Lattakou, une des stations les plus septentrionales de la Hottentotie, des chariots, des vivres, en un mot tout ce qui était nécessaire au ravitaillement d'une caravane boschjesmane. Puis, connaissant de réputation le chasseur indigène Mokoum, qui avait accompagné Anderson dans ses chasses de l'Afrique occidentale et l'intrépide David Livingstone lors de son premier voyage d'exploration au lac Ngami et aux chutes du Zambèse, il lui offrit le commandement de cette caravane.

Ceci fait, il fut convenu que le bushman, qui connaissait parfaitement la contrée, conduirait William Emery sur les bords de l'Orange, aux chutes de Morgheda, à l'endroit désigné. C'est là que devait les rejoindre la commission scientifique. Cette commission avait dû prendre passage sur la frégate *Augusta* de la marine britannique, gagner l'embouchure de l'Orange sur la côte occidentale de l'Afrique, à la hauteur du cap Volpas, et remonter le cours du fleuve jusqu'aux cataractes. William Emery et Mokoum étaient donc venus avec un chariot qu'ils avaient laissé au fond de la vallée, chariot destiné à transporter à Lattakou les étrangers et leurs bagages, s'ils ne préféraient s'y rendre par l'Orange et ses affluents, après avoir évité par un portage de quelques milles les chutes de Morgheda.

Ce récit terminé et bien gravé cette fois dans l'esprit du bushman, celui-ci s'avança jusqu'au bord du gouffre au fond duquel se précipitait avec fracas l'écumante rivière. L'astronome le suivit. Là, une pointe avancée permettait de dominer le cours de l'Orange, en aval de la cataracte, jusqu'à une distance de plusieurs milles.

Pendant quelques minutes, Mokoum et son compagnon observèrent attentivement la surface de ces eaux qui reprenaient leur tranquillité première à un quart de mille au-dessous d'eux. Aucun objet, bateau ou pirogue, n'en troublait le cours. Il était trois heures alors. Ce mois de janvier correspond au juillet des contrées boréales, et le soleil, presque à pic sur ce vingt-neuvième parallèle, échauffait l'air jusqu'au cent cinquième degré Fahrenheit[1] à l'ombre. Sans la brise de l'ouest, qui la modérait un peu, cette température eût été insoutenable pour tout autre qu'un bushman. Cependant, le jeune savant, d'un tempérament sec, tout os et tout nerfs, n'en souffrait pas trop. L'épais feuillage des arbres qui se

1. 10, 55 centigrades.

penchaient sur le gouffre, le préservait d'ailleurs des atteintes immédiates des rayons solaires. Pas un oiseau n'animait cette solitude à ces heures chaudes de la journée. Pas un quadrupède ne quittait le frais abri des buissons et ne se hasardait au milieu des clairières. On n'aurait entendu aucun bruit, dans cet endroit désert, quand bien même la cataracte n'eût pas empli l'air de ses mugissements.

Après dix minutes d'observation, Mokoum se retourna vers William Emery, frappant impatiemment la terre de son large pied. Ses yeux dont la vue était si pénétrante, n'avaient rien découvert.

« Et si vos gens n'arrivent pas ? demanda-t-il à l'astronome.

— Ils viendront, mon brave chasseur, répondit William Emery. Ce sont des hommes de parole, et ils seront exacts comme des astronomes. D'ailleurs, que leur reprochez-vous ? La lettre annonce leur arrivée pour la fin du mois de janvier. Nous sommes au vingt-sept de ce mois, et ces messieurs ont droit à quatre jours encore pour atteindre les chutes de Morgheda.

— Et si, ces quatre jours écoulés, ils n'ont pas paru ? demanda le bushman.

— Eh bien ! maître chasseur, ce sera l'occasion ou jamais d'exercer notre patience, car nous les attendrons jusqu'au moment où il me sera bien prouvé qu'ils n'arriveront plus !

— Par notre Dieu Kô ! s'écria le bushman d'une voix puissante, vous seriez homme à attendre que le Gariep ne précipite plus ses eaux retentissantes dans cet abîme !

— Non ! chasseur, non, répondit William Emery d'un ton toujours calme. Il faut que la raison domine tous nos actes. Or, que nous dit la raison : c'est que si le colonel Everest et ses compagnons, harassés par un voyage pénible, manquant peut-être du nécessaire, perdus dans

16

cette solitaire contrée, ne nous trouvaient pas au lieu de rendez-vous, nous serions blâmables à tous égards. Si quelque malheur arrivait, la responsabilité en retomberait justement sur nous. Nous devons donc rester à notre poste tant que le devoir nous y obligera. D'ailleurs, nous ne manquons de rien ici. Notre chariot nous attend au fond de la vallée, et nous offre un abri sûr pour la nuit. Les provisions sont abondantes. La nature est magnifique en cet endroit et digne d'être admirée ! C'est un bonheur tout nouveau pour moi de passer quelques jours sous ces forêts superbes, au bord de cet incomparable fleuve ! Quant à vous, Mokoum, que pouvez-vous désirer ? Le gibier de poil ou de plume abonde dans ces forêts, et votre rifle fournit invariablement notre venaison quotidienne. Chassez, mon brave chasseur, tuez le temps en tirant des daims ou des buffles. Allez, mon brave bushman. Pendant ce temps, je guetterai les retardataires, et au moins, vos pieds ne risqueront pas de prendre racine ! »

Le chasseur comprit que l'avis de l'astronome était bon à suivre. Il résolut donc d'aller battre pendant quelques heures les broussailles et les taillis des alentours. Lions, hyènes ou léopards n'étaient pas pour embarrasser un Nemrod tel que lui, habitué des forêts africaines. Il siffla son chien Top, une espèce de « cynhiène » du désert Kalaharien, descendant de cette race dont les Balabas ont fait autrefois des chiens courants. L'intelligent animal, qui semblait être aussi impatient que son maître, se leva en bondissant, et témoigna par ses aboiements joyeux de l'approbation qu'il donnait aux projets du bushman. Bientôt le chasseur et le chien eurent disparu sous le couvert d'un bois dont la masse épaisse couronnait les arrière-plans de la cataracte.

William Emery, demeuré seul, s'étendit au pied du saule, et en attendant le sommeil que devait provoquer en lui la haute température, il se prit à réfléchir sur sa situation actuelle. Il était là, loin des régions habitées, près du cours de cet Orange, encore peu connu. Il attendait des Européens, des compatriotes qui abandonnaient leur pays pour courir les hasards d'une expédition lointaine. Mais quel était le but de cette expédition ? Quel problème scientifique voulait-elle résoudre dans les déserts de l'Afrique australe ? Quelle observation allait-elle tenter à la hauteur du trentième parallèle sud ? Voilà précisément ce que ne disait pas la lettre de l'honorable M. Airy, le directeur de l'observatoire de Greenwich. A lui, Emery, on lui demandait son concours comme savant familiarisé avec le climat des latitudes australes, et puisqu'il s'agissait évidemment de travaux scientifiques, son concours était tout acquis à ses collègues du Royaume-Uni.

Pendant que le jeune astronome réfléchissait à toutes ces choses, et se posait mille questions auxquelles il ne pouvait répondre, le sommeil alourdit ses paupières, et il s'endormit profondément. Lorsqu'il se réveilla, le soleil s'était déjà caché derrière les collines occidentales qui dessinaient leur profil pittoresque sur l'horizon enflammé. Quelques tiraillements d'estomac apprirent à William Emery que l'heure du souper approchait. Il était, en effet, six heures du soir, et le moment arrivait de regagner le chariot au fond de la vallée.

Précisément, en cet instant même, une détonation retentit dans un taillis de bruyères arborescentes, hautes de douze à quinze pieds, qui descendait sur la droite en suivant la pente des collines. Presque aussitôt, le bushman et Top parurent sur la lisière du bois. Mokoum traînait la dépouille d'un animal que son fusil venait d'abattre.

« Arrivez, arrivez, maître pourvoyeur ! lui cria William Emery. Qu'apportez-vous pour notre souper ?

— Un spring-bok, monsieur William », répondit le

chasseur en jetant à terre un animal dont les cornes s'arrondissaient en forme de lyre.

C'était une sorte d'antilope plus généralement connue sous la dénomination de « bouc sauteur », qui se rencontre fréquemment dans toutes les régions de l'Afrique australe. Charmant animal que ce bouc, au dos couleur de cannelle, dont la croupe disparaissait sous des touffes de poils soyeux d'une éclatante blancheur, et qui montrait un ventre ocellé de tons châtains. Sa chair, excellente à manger, fut destinée au repas du soir.

Le chasseur et l'astronome, chargeant la bête au moyen d'un bâton transversalement placé sur leurs épaules, quittèrent les sommets de la cataracte, et une demi-heure après, ils atteignaient leur campement situé dans une étroite gorge de la vallée, où les attendait le chariot gardé par deux conducteurs de race boschjesmane.

II
Présentations officielles

Pendant les 28, 29 et 30 janvier, Mokoum et William Emery ne quittèrent pas le lieu de rendez-vous. Tandis que le bushman, emporté par ses instincts de chasseur, poursuivait indistinctement le gibier et les fauves sur toute cette région boisée qui avoisinait la cataracte, le jeune astronome surveillait le cours du fleuve. Le spectacle de cette nature, grande et sauvage, le ravissait et emplissait son âme d'émotions nouvelles. Lui, homme de chiffres, savant incessamment courbé sur ses catalogues jour et nuit, enchaîné à l'oculaire de ses lunettes, guettant le passage des astres au méridien ou calculant des occultations d'étoiles, il savourait cette existence en plein air, sous les bois presque impénétrables qui hérissaient le penchant des collines, sur ces sommets déserts que les embruns de la Morgheda couvraient d'une poussière humide. C'était une joie, pour lui, de comprendre la poésie de ces vastes solitudes, à peu près inconnues à l'homme, et d'y retremper son esprit fatigué des spéculations mathématiques. Il trompait ainsi les ennuis de l'attente, et se refaisait corps et âme. La nouveauté de sa situation expliquait donc son inaltérable patience que le bushman ne pouvait partager. Aussi, de la part du chasseur, toujours mêmes récriminations, de la part du savant, mêmes réponses calmes, qui ne calmaient point le nerveux Mokoum.

Le 31 janvier arriva, dernier jour fixé par la lettre de l'honorable Airy. Si les savants annoncés n'apparaissaient pas ce jour-là, William Emery serait forcé de prendre un parti, ce qui l'embarrasserait beaucoup. Le retard pouvait se prolonger indéfiniment, et comment indéfiniment attendre ?

« Monsieur William, lui dit le chasseur, pourquoi n'irions-nous pas au-devant des étrangers ? Nous ne pouvons les croiser en route. Il n'y a qu'un chemin, le chemin de la rivière, et s'ils la remontent, comme le dit votre bout de papier, nous les rencontrerons inévitablement.

— Une excellente idée que vous avez là, Mokoum, répondit l'astronome. Poussons une reconnaissance en aval des chutes. Nous en serons quittes pour revenir au campement par les contre-vallées du sud. Mais dites-moi, honnête bushman, vous connaissez en grande partie le cours de l'Orange ?

— Oui, monsieur, répondit le chasseur, je l'ai remonté deux fois depuis le cap Volpas jusqu'à sa jonction avec le Hart sur les frontières de la république de Transvaal.

— Et son cours est navigable en toutes ses parties, excepté aux chutes de Morgheda ?

— Comme vous le dites, monsieur, répliqua le bushman. J'ajouterai toutefois, que vers la fin de la saison sèche, l'Orange est à peu près sans eau jusqu'à cinq ou six milles de son embouchure. Il se forme alors une barre sur laquelle la houle de l'ouest se brise avec violence.

— Peu importe, répondit l'astronome, puisque, au moment où nos Européens ont dû atterrir, cette embouchure était praticable. Il n'existe donc aucune raison qui puisse motiver leur retard, et par conséquent, ils arriveront. »

Le bushman ne répondit pas. Il plaça sa carabine sur son épaule, siffla Top, et précéda son compagnon dans l'étroit sentier qui rejoignait quatre cents pieds plus bas les eaux inférieures de la cataracte.

Il était alors neuf heures du matin. Les deux explorateurs — on pourrait vraiment leur donner ce nom — descendirent le cours du fleuve en suivant sa rive gauche. Le chemin, il s'en fallait, n'offrait pas les terrassements planes et faciles d'une digue ou d'une route de halage. Les berges de la rivière, hérissées de broussailles, disparaissaient sous un berceau d'essences diverses. Des festons de ce « cynauchum filiforme », mentionné par Burchell, se croisaient d'un arbre à l'autre, et tendaient un réseau de verdure devant le pas des deux voyageurs. Aussi, le couteau du bushman ne demeurait-il pas inactif. Il tranchait impitoyablement ces guirlandes embarrassantes. William Emery respirait à pleins poumons les senteurs pénétrantes de la forêt, particulièrement embaumée des parfums du camphre que répandaient d'innombrables fleurs de diosmées. Fort heureusement, quelques clairières, des portions de berges dénudées, au long desquelles les eaux poissonneuses coulaient paisiblement, permirent au chasseur et à son compagnon de gagner plus rapidement vers l'ouest. A onze heures du matin, ils avaient franchi environ quatre milles.

La brise soufflait alors du côté du couchant. Elle portait donc vers la cataracte dont les mugissements ne pouvaient plus être entendus à cette distance. Au contraire, les bruits qui se propageaient en aval devaient être perçus distinctement.

William Emery, et le chasseur, arrêtés en cet endroit, apercevaient le cours du fleuve qui se prolongeait en droite ligne sur un espace de deux à trois milles. Le lit de la rivière était alors profondément encaissé et dominé par une double falaise crayeuse, haute de deux cents pieds.

« Attendons en cet endroit, dit l'astronome, et reposons-nous. Je n'ai pas vos jambes de chasseur, maître Mokoum, et je me promène plus habituellement dans le firmament étoilé que sur les routes terrestres. Reposons-nous donc. De ce point, notre regard peut observer deux ou trois milles du fleuve, et si peu que la barque à vapeur se montre au dernier tournant, nous ne manquerons pas de l'apercevoir. »

Le jeune astronome s'accota au pied d'une gigantesque euphorbe dont la cime s'élevait à une hauteur de quarante pieds. De là, son regard s'étendait au loin sur la rivière. Le chasseur, lui, peu habitué à s'asseoir, continua de se promener sur la berge, pendant que Top faisait lever des nuées d'oiseaux sauvages qui ne provoquaient aucunement l'attention de son maître.

Le bushman et son compagnon n'étaient en cet endroit que depuis une demi-heure, quand William Emery vit que Mokoum, posté à une centaine de pas au-dessous de lui, donnait des signes d'une attention plus particulière. Le bushman avait-il aperçu la barque si impatiemment attendue ?

L'astronome, quittant son fauteuil de mousse, se dirigea vers la partie de la berge occupée par le chasseur. En quelques moments, il l'eut atteinte.

« Voyez-vous quelque chose, Mokoum ? demanda-t-il au bushman.

— Rien, je ne vois rien, monsieur William, répondit le chasseur, mais si les bruits de la nature sont toujours familiers à mon oreille, il me semble qu'un bourdonnement inaccoutumé se produit sur le cours inférieur du fleuve ! »

Puis, cela dit, le bushman, recommandant le silence à son compagnon, se coucha l'oreille contre terre, et il écouta avec une extrême attention.

Après quelques minutes, le chasseur se releva, secoua la tête, et dit :

« Je me serai trompé. Ce bruit que j'ai cru entendre n'est autre que le sifflement de la brise à travers la feuillée ou le murmure des eaux sur les pierres de la rive. Et, cependant... »

Le chasseur prêta encore une oreille attentive, mais il n'entendit rien.

« Mokoum, dit alors William Emery, si le bruit que vous avez cru percevoir est produit par la machine de la chaloupe à vapeur, vous l'entendrez mieux en vous baissant au niveau de la rivière. L'eau propage les sons avec plus de netteté et de rapidité que l'air.

— Vous avez raison, monsieur William ! répondit le chasseur, et plus d'une fois, j'ai surpris ainsi le passage d'un hippopotame à travers les eaux. »

Le bushman descendit la berge, très accore, se cramponnant aux lianes et aux touffes d'herbes. Lorsqu'il fut au niveau du fleuve, il y entra jusqu'au genou, et se baissant, il posa son oreille à la hauteur des eaux.

« Oui ! s'écria-t-il, après quelques instants d'attention, oui ! Je ne m'étais pas trompé. Il se fait là-bas, à quelques milles au-dessous, un bruit d'eaux battues avec

violence. C'est un clapotis monotone et continu qui se produit à l'intérieur du courant.

— Un bruit d'hélice ? répondit l'astronome.

— Probablement, monsieur Emery. Ceux que nous attendons ne sont plus éloignés. »

William Emery, connaissant la finesse de sens dont le chasseur était doué, soit qu'il employât la vue, l'ouïe ou l'odorat, ne mit pas en doute l'assertion de son compagnon. Celui-ci remonta sur la berge, et tous deux résolurent d'attendre en cet endroit, duquel ils pouvaient facilement surveiller le cours de l'Orange.

Une demi-heure se passa, que William Emery, malgré son calme naturel, trouva interminable. Que de fois il crut voir le profil indéterminé d'une embarcation glissant sur les eaux. Mais sa vue le trompait toujours. Enfin, une exclamation du bushman lui fit battre le cœur.

« Une fumée ! » s'était écrié Mokoum.

William Emery, regardant vers la direction indiquée par le chasseur, aperçut, non sans peine, un léger panache qui se déroulait au tournant du fleuve. On ne pouvait plus douter.

L'embarcation s'avançait rapidement. Bientôt, William Emery put distinguer sa cheminée qui vomissait un torrent de fumée noire, mélangée de vapeurs blanches. L'équipage activait évidemment les feux afin d'accélérer la vitesse, et atteindre le lieu du rendez-vous au jour dit. La barque se trouvait encore à sept milles environ des chutes de Morgheda.

Il était alors midi. L'endroit n'étant pas propice à un débarquement, l'astronome résolut de retourner au pied de la cataracte. Il fit connaître son projet au chasseur, qui ne répondit qu'en reprenant le chemin déjà frayé par lui sur la rive gauche du fleuve. William Emery suivit son compagnon, et s'étant retourné une dernière fois à un coude de la rivière, il aperçut le pavillon britannique qui flottait à l'arrière de l'embarcation.

Le retour aux chutes s'opéra rapidement, et à une heure, le bushman et l'astronome s'arrêtaient à un quart de mille en aval de la cataracte. Là, la rive, coupée en demi-cercle, formait une petite anse au fond de laquelle la barque à vapeur pouvait facilement atterrir, car l'eau était profonde à l'aplomb même de la berge.

L'embarcation ne devait pas être éloignée, et elle avait certainement gagné sur les deux piétons, quelque rapide qu'eût été leur marche. On ne pouvait encore l'apercevoir, car la disposition des rives du fleuve, ombragé par de hauts arbres qui se penchaient au-dessus de ses eaux, ne permettait pas au regard de s'étendre. Mais on entendait, sinon le hennissement de la vapeur, du moins, les coups de sifflet aigus de la machine, qui tranchaient sur les mugissements continus de la cataracte.

Ces coups de sifflet ne discontinuaient pas. L'équipage cherchait ainsi à signaler sa présence aux environs de la Morgheda. C'était un appel.

Le chasseur y répondit en déchargeant sa carabine, dont la détonation fut répétée avec fracas par les échos de la rive.

Enfin, l'embarcation apparut. William Emery et son compagnon furent aussi aperçus de ceux qui la montaient.

Sur un signe de l'astronome, la barque évolua et vint se ranger doucement près de la berge. Une amarre fut jetée. Le bushman la saisit et la tourna sur une souche rompue.

Aussitôt, un homme de haute taille s'élança légèrement sur la rive, et s'avança vers l'astronome, tandis que ses compagnons débarquaient à leur tour.

William Emery alla aussitôt vers cet homme et dit :

« Le colonel Everest ?

— Monsieur William Emery ? » répondit le colonel.

L'astronome et son collègue de l'observatoire de Cambridge se saluèrent et se prirent la main.

« Messieurs, dit alors le colonel Everest, permettez-moi de vous présenter l'honorable William Emery de l'observatoire de Cape Town, qui a bien voulu venir au-devant de nous jusqu'aux chutes de la Morgheda. »

Quatre passagers de l'embarcation, qui se tenaient près du colonel Everest, saluèrent successivement le jeune astronome, qui leur rendit leur salut. Puis, le colonel les présenta officiellement en disant avec son flegme tout britannique :

« Monsieur Emery, sir John Murray, du Devonshire, votre compatriote ; monsieur Mathieu Strux, de l'observatoire de Poulkowa, monsieur Nicolas Palander, de l'observatoire de Helsingfors, et monsieur Michel Zorn, de l'observatoire de Kiew, trois savants russes qui représentent le gouvernement du tzar dans notre commission internationale. »

III
Le portage

Ces présentations faites, William Emery se mit à la disposition des arrivants. Dans sa situation de simple astronome à l'observatoire du Cap, il se trouvait hiérarchiquement le subordonné du colonel Everest, délégué du gouvernement anglais, qui partageait avec Mathieu Strux la présidence de la commission scientifique. Il le connaissait, d'ailleurs, pour un savant très distingué, que des réductions de nébuleuses et des calculs d'occultations d'étoiles avaient rendu célèbre. Cet astronome, âgé de cinquante ans, homme froid et méthodique, avait une existence mathématiquement déterminée heure par heure. Rien d'imprévu pour lui. Son exactitude, en toutes choses, n'était pas plus grande que celle des astres à passer au méridien. On peut dire que tous les actes de sa vie étaient réglés au chronomètre. William Emery le savait. Aussi n'avait-il jamais douté que la commission scientifique n'arrivât au jour indiqué.

Cependant, le jeune astronome attendait que le colonel s'expliquât au sujet de la mission qu'il venait remplir dans l'Afrique australe. Mais le colonel Everest se taisant, William Emery ne crut pas devoir l'interroger à cet égard. Il était probable que dans l'esprit du colonel, l'heure à laquelle il parlerait n'avait pas encore sonné.

William Emery connaissait aussi, de réputation, sir John Murray, riche savant, émule de James Ross et de lord Elgin, qui, sans titre officiel, honorait l'Angleterre par ses travaux astronomiques. La science lui était redevable de sacrifices pécuniaires très considérables. Vingt mille livres sterling avaient été consacrées par lui à l'établissement d'un réflecteur gigantesque, rival du télescope de Parson Town, avec lequel les éléments d'un certain nombre d'étoiles doubles venaient d'être déterminés. C'était un homme de quarante ans au plus, l'air grand seigneur, mais dont la mine impassible ne trahissait aucunement le caractère.

Quant aux trois Russes, MM. Strux, Palander et Zorn, leurs noms n'étaient pas nouveaux pour William Emery. Mais le jeune astronome ne les connaissait pas personnellement. Nicolas Palander et Michel Zorn témoignaient une certaine déférence à Mathieu Strux, déférence que sa situation, à défaut de tout mérite, eût justifiée d'ailleurs.

La seule remarque que fit William Emery, c'est que les savants anglais et russes se trouvaient en nombre égal, trois Anglais et trois Russes. L'équipage lui-même de la barque à vapeur, nommée *Queen and Tzar*, comptait dix hommes, dont cinq étaient originaires de l'Angleterre et cinq de la Russie.

« Monsieur Emery, dit le colonel Everest, dès que les présentations eurent été faites, nous nous connaissons maintenant comme si nous avions fait ensemble la traversée de Londres au cap Volpas. J'ai pour vous, d'ailleurs, une estime particulière et bien due à ces travaux qui vous ont acquis, jeune encore, une juste renommée. C'est sur ma demande que le gouvernement anglais vous a désigné pour prendre part aux opérations que nous allons tenter dans l'Afrique australe. »

William Emery s'inclina en signe de remerciement et pensa qu'il allait apprendre enfin les motifs qui entraînaient cette commission scientifique jusque dans l'hémisphère sud. Mais le colonel Everest ne s'expliqua pas à ce sujet.

« Monsieur Emery, reprit le colonel, je vous demanderai si vos préparatifs sont terminés.

— Entièrement, colonel, répondit l'astronome. Suivant l'avis qui m'était donné par la lettre de l'honorable M. Airy, j'ai quitté Cape Town, depuis un mois, et je me suis rendu à la station de Lattakou. Là, j'ai réuni tous les éléments nécessaires à une exploration à l'intérieur de l'Afrique, vivres et chariots, chevaux et bushmen. Une escorte de cent hommes aguerris vous attend à Lattakou, et elle sera commandée par un habile et célèbre chasseur que je vous demande la permission de vous présenter, le bushman Mokoum.

— Le bushman Mokoum, s'écria le colonel Everest, si toutefois le ton froid dont il parla justifie un tel verbe, le bushman Mokoum ! Mais son nom m'est parfaitement connu.

— C'est le nom d'un adroit et intrépide Africain, ajouta sir John Murray, se tournant vers le chasseur, que ces Européens, avec leurs grands airs, ne décontenançaient point.

— Le chasseur Mokoum, dit William Emery, en présentant son compagnon.

— Votre nom est bien connu dans le Royaume-Uni, bushman, répondit le colonel Everest. Vous avez été l'ami d'Anderson et le guide de l'illustre David Livingstone qui m'honore de son amitié. L'Angleterre vous remercie par ma bouche, et je félicite monsieur Emery de vous avoir choisi pour chef de notre caravane. Un chasseur tel que vous doit être amateur de belles armes. Nous en avons un arsenal assez complet, et je vous prierai de choisir, entre toutes, celle qui vous conviendra. Nous savons qu'elle sera placée en bonnes mains. »

Un sourire de satisfaction se dessina sur les lèvres du bushman. Le cas que l'on faisait de ses services en Angleterre le touchait sans doute, mais moins assurément que l'offre du colonel Everest. Il remercia donc en bons termes, et se tint à l'écart, tandis que la conversation continuait entre William Emery et les Européens.

Le jeune astronome compléta les détails de l'expédition organisée par lui, et le colonel Everest parut enchanté. Il s'agissait donc de gagner au plus vite la ville de Lattakou, car le départ de la caravane devait s'effectuer dans les premiers jours de mars, après la saison des pluies.

« Veuillez décider, colonel, dit William Emery, de quelle façon vous voulez atteindre cette ville.

— Par la rivière d'Orange, et l'un de ses affluents, le Kuruman, qui passe auprès de Lattakou.

— En effet, répondit l'astronome, mais si excellente, si rapide marcheuse que soit votre embarcation, elle ne saurait remonter la cataracte de Morgheda !

— Nous tournerons la cataracte, monsieur Emery, répliqua le colonel. Un portage de quelques milles nous permettra de reprendre notre navigation en amont de la

chute, et si je ne me trompe, de ce point à Lattakou, les cours d'eau sont navigables pour une barque dont le tirant d'eau est peu considérable.

— Sans doute, colonel, répondit l'astronome, mais cette barque à vapeur est d'un poids tel...

— Monsieur Emery, répondit le colonel Everest, cette embarcation est un chef-d'œuvre sorti des ateliers de Leard & Cie de Liverpool. Elle se démonte pièce par pièce, et se remonte avec une extrême facilité. Une clef et quelques boulons, il n'en faut pas plus aux hommes chargés de ce travail. Vous avez amené un chariot aux chutes de Morgheda ?

— Oui, colonel, répondit William Emery. Notre campement n'est pas à un mille de cet endroit.

— Eh bien, je prierai le bushman de faire conduire le chariot au point de débarquement. On y chargera les pièces de l'embarcation et sa machine qui se démonte également, et nous gagnerons en amont l'endroit où l'Orange redevient navigable. »

Les ordres du colonel Everest furent exécutés. Le bushman disparut bientôt dans le taillis, après avoir promis d'être revenu avant une heure. Pendant son absence, la chaloupe à vapeur fut rapidement déchargée. D'ailleurs, la cargaison n'était pas considérable, des caisses d'instruments de physique, une collection respectable de fusils de la fabrique de Purdey Moore, d'Edimbourg, quelques bidons d'eau-de-vie, des barils de viande séchée, des caissons de munitions, des valises réduites au plus strict volume, des toiles à tentes et tous leurs ustensiles qui semblaient sortir d'un bazar de voyage, un canot en gutta-percha soigneusement replié, qui ne tenait pas plus de place qu'une couverture bien sanglée, quelques effets de campement, etc., etc., enfin une sorte de mitrailleuse en éventail, engin peu perfectionné encore, mais qui devait rendre fort redoutable à des ennemis quels qu'ils fussent l'approche de l'embarcation.

Tous ces objets furent déposés sur la berge. La machine, de la force de huit chevaux de deux cent dix kilogrammes, était divisée en trois parties, la chaudière et ses bouilleurs, le mécanisme qu'un tour de clef détachait des chaudières, et l'hélice engagée sur le faux étambot. Ces parties, successivement enlevées, laissèrent libre l'intérieur de l'embarcation.

Cette chaloupe, outre l'espace réservé à la machine et aux soutes, se divisait en chambre d'avant destinée aux hommes de l'équipage, et en chambre d'arrière occupée par le colonel Everest et ses compagnons. En un clin d'œil, les cloisons disparurent, les coffres et les couchettes furent enlevés. L'embarcation se trouva réduite alors à une simple coque.

Cette coque, longue de trente-cinq pieds, se composait de trois parties, comme celle du *Mà-Robert*, chaloupe à vapeur qui servit au docteur Livingstone pendant son premier voyage au Zambèse. Elle était faite d'acier galvanisé, à la fois léger et résistant. Des boulons, ajustant les plaques sur une membrure de même métal, assuraient leur adhérence et l'étanchement de la barque.

William Emery fut véritablement émerveillé de la simplicité du travail et de la rapidité avec laquelle il s'accomplit. Le chariot n'était pas arrivé depuis une heure, sous la conduite du chasseur et de ses deux bochesjmen, que l'embarcation était prête à être chargée.

Ce chariot, véhicule un peu primitif, reposait sur quatre roues massives, formant deux trains séparés l'un de l'autre par un intervalle de vingt pieds. C'était un véritable « car » américain, par sa longueur. Cette lourde machine, criarde aux essieux et dont le heurtequin dépassait les roues d'un bon pied, était traînée par six buffles domestiques, accouplés deux à deux, et très sensibles au long aiguillon de leur conducteur. Il ne fallait pas moins que de tels ruminants pour enlever le véhicule, quand il se mouvait à pleine charge. Malgré l'adresse du

« leader », il devait plus d'une fois rester embourbé dans les fondrières.

L'équipage du *Queen and Tzar* s'occupa de charger le chariot, de manière à bien l'équilibrer en toutes ses parties. On connaît l'adresse proverbiale des marins. L'arrimage du véhicule ne fut qu'un jeu pour ces braves gens. Les grosses pièces de la chaloupe reposèrent directement au-dessus des essieux au point le plus solide du chariot. Entre elles, les caisses, caissons, barils, colis plus légers ou plus fragiles, trouvèrent aisément place. Quant aux voyageurs proprement dit, une course de quatre milles n'était pour eux qu'une promenade.

A trois heures du soir, le chargement entièrement terminé, le colonel Everest donna le signal du départ. Ses compagnons et lui, sous la conduite de William Emery, prirent les devants. Le bushman, les gens de l'équipage et les conducteurs du chariot suivirent d'un pas plus lent.

Cette marche se fit sans fatigue. Les rampes qui menaient au cours supérieur de l'Orange facilitaient le parcours par cela même qu'elles l'allongeaient considérablement. C'était une heureuse circonstance pour le chariot lourdement chargé, qui, avec un peu plus de temps, atteindrait plus sûrement son but.

Quant aux divers membres de la commission scientifique, ils gravissaient lestement le revers de la colline. La conversation, entre eux, se généralisait. Mais du but de l'expédition, il ne fut aucunement question. Ces Européens admiraient fort les sites grandioses qui se déplaçaient sous leurs yeux. Cette grande nature, si belle dans sa sauvagerie, les charmait comme elle avait charmé le jeune astronome. Leur voyage ne les avait pas encore blasés sur les beautés naturelles de cette région africaine. Ils admiraient, mais avec une admiration contenue, comme des Anglais ennemis de tout ce qui pourrait paraître « improper ». La cataracte obtint de leur part quelques applaudissements de bon goût, du bout des doigts peut-être, mais significatifs. Le *nil admirari* n'était pas tout à fait leur devise.

D'ailleurs, William Emery croyait devoir faire à ses hôtes les honneurs de l'Afrique australe. Il était chez lui, et comme certains bourgeois trop enthousiastes, il ne faisait pas grâce d'un détail de son parc africain.

Vers quatre heures et demie, les cataractes de Morgheda étaient tournées. Les Européens, parvenus sur le plateau, virent le cours supérieur du fleuve se dérouler devant eux au-delà des limites du regard. Ils campèrent donc sur la rive en attendant l'arrivée du chariot.

Le véhicule apparut au sommet de la colline vers cinq heures. Son voyage s'était heureusement accompli. Le colonel Everest fit aussitôt procéder au déchargement, en annonçant que le départ aurait lieu le lendemain matin dès l'aube.

Toute la nuit fut employée à divers travaux. La coque de l'embarcation rajustée en moins d'une heure, la machine de l'hélice remise en place, les cloisons métalliques dressées entre les chambres, les soutes refaites, les divers colis embarqués avec ordre, toutes ces dispositions, rapidement prises, prouvèrent en faveur de l'équipage du *Queen and Tzar*. Ces Anglais et ces Russes étaient des gens choisis, des hommes disciplinés et habiles, sur lesquels on pouvait justement compter.

Le lendemain 1er février, dès l'aube, l'embarcation fut prête à recevoir les passagers. Déjà la fumée noire s'échappait en tourbillon de sa cheminée, et le mécanicien, afin d'activer le tirage, lançait à travers cette fumée des jets de vapeur blanche. La machine étant à haute pression, sans condenseur, perdait sa vapeur à chaque coup de piston, d'après le système appliqué aux locomotives. Quant à la chaudière, munie de bouilleurs ingénieusement disposés, et présentant une grande surface de chauffe, elle n'exigeait pas une demi-heure pour fournir une quantité suffisante de vapeur. On avait fait une bonne provision de bois d'ébène et de gaïac, qui abondait aux environs, et l'on chauffait à grand feu avec ces précieuses essences.

A six heures du matin, le colonel Everest donna le signal du départ. Passagers et marins s'embarquèrent sur le *Queen and Tzar*. Le chasseur, à qui la route du fleuve était familière, les suivit à bord, laissant aux deux bochesjmen le soin de ramener le chariot à Lattakou.

Au moment où l'embarcation larguait son amarre, le colonel Everest dit à l'astronome :

« A propos, monsieur Emery, vous savez ce que nous venons faire ici ?

— Je ne m'en doute même pas, colonel.

— C'est bien simple, monsieur Emery. Nous venons mesurer un arc de méridien dans l'Afrique australe. »

IV
Quelques mots
à propos du mètre

De tout temps, on peut l'affirmer, l'idée d'une mesure universelle et invariable, dont la nature fournirait elle-même la rigoureuse évaluation, a existé dans l'esprit des hommes. Il importait, en effet, que cette mesure pût être exactement retrouvée, quels que fussent les cataclysmes dont la terre aurait été le théâtre. Très certainement, les anciens pensèrent ainsi, mais les méthodes et les instruments leur manquèrent pour exécuter cette opération avec une approximation suffisante.

Le meilleur moyen, en effet, d'obtenir une immuable mesure, c'était de la rapporter au sphéroïde terrestre, dont la circonférence peut être considérée comme invariable, et par conséquent, de mesurer mathématiquement tout ou partie de cette circonférence.

Les anciens avaient cherché à déterminer cette mesure. Aristote, d'après certains savants de son époque, considérait le stade, ou coudée égyptienne au temps de Sésostris, comme formant la cent millième partie du pôle à l'équateur. Eratosthène, au siècle des Ptolémées, calcula d'une manière assez approximative la valeur du degré le long du Nil, entre Syène et Alexandrie. Mais Posidonius et Ptolémée ne purent donner une exactitude suffisante aux opérations géodésiques du même genre qu'ils entreprirent. De même, leurs successeurs.

Ce fut Picard qui, la première fois en France, commença à régulariser les méthodes employées pour la mesure d'un degré, et en 1669, déterminant la longueur de l'arc céleste et de l'arc terrestre entre Paris et Amiens, il donna pour la valeur d'un degré cinquante-sept mille soixante toises.

La mesure de Picard fut continuée jusqu'à Dunkerque et jusqu'à Collioure par Dominique Cassini et Lahire, de 1683 à 1718. Elle fut vérifiée, en 1739, de Dunkerque à Perpignan, par François Cassini et Lacaille. Enfin, la mesure de l'arc de ce méridien fut prolongée par Méchain jusqu'à Barcelone, en Espagne. Méchain étant mort — il succomba aux fatigues provoquées par une telle opération —, la mesure de la méridienne de France ne fut reprise qu'en 1807 par Arago et Biot. Ces deux savants la poursuivirent jusqu'aux îles Baléares. L'arc s'étendait alors de Dunkerque à Formentera : son milieu se trouvait coupé par le quarante-cinquième parallèle nord, situé à la même distance du pôle et de l'équateur, et dans ces conditions, pour calculer la valeur de quart du méridien, il n'était pas nécessaire de tenir compte de l'aplatissement de la terre. Cette mesure donna cinquante-sept mille vingt-cinq toises pour la valeur moyenne d'un arc d'« un degré » en France.

On voit que jusqu'alors, c'étaient spécialement des savants français qui s'occupaient de cette détermination délicate. Ce fut aussi la Constituante qui, en 1790, sur la proposition de Talleyrand, rendit un décret par lequel l'Académie des Sciences était chargée d'imaginer un modèle invariable pour toutes les mesures et pour tous les poids. A cette époque, le rapport signé de ces noms illustres, Borda, Lagrange, Laplace, Monge, Condorcet, proposa pour mesure de longueur usuelle la dix millionième partie du quart du méridien, et pour évaluation de la pesanteur de tous les corps, celle de l'eau distillée, le système décimal étant adopté pour relier toutes les mesures entre elles.

Plus tard, ces déterminations de la valeur d'un degré terrestre furent faites en divers lieux de la terre, car le globe n'étant pas un sphéroïde, mais un ellipsoïde, des opérations multiples devaient donner la mesure de son aplatissement aux pôles.

En 1736, Maupertuis, Clairaut, Camus, Lemonnier, Outhier et le Suédois Celsius mesurèrent un arc septentrional en Laponie et trouvèrent cinquante-sept mille quatre cent dix-neuf toises pour la longueur d'un arc d'un degré.

En 1745, au Pérou, La Condamine, Bouguer, Godin, aidés des Espagnols Juan et Antonio Ulloa, accusèrent cinquante-six mille sept cent trente-sept toises pour la valeur de l'arc péruvien.

En 1752, Lacaille rapporta cinquante-sept mille trente-sept toises pour la valeur d'un degré du méridien au cap de Bonne-Espérance.

En 1754, les pères Maire et Boscowith obtinrent cinquante-six mille neuf cent soixante-treize toises pour la valeur de l'arc entre Rome et Rimini.

En 1762 et 1763, Beccaria évalua le degré piémontais à cinquante-sept mille quatre cent soixante-huit toises.

En 1768, les astronomes Mason et Dixon, dans l'Amérique du Nord, sur les confins du Maryland et de la Pennsylvanie, trouvèrent cinquante-six mille huit cent quatre-vingt-huit toises pour la valeur du degré américain.

Depuis, au XIXᵉ siècle, nombre d'autres arcs furent mesurés, au Bengale, dans les Indes orientales, au Piémont, en Finlande, en Courlande, dans le Hanovre, dans la Prusse orientale, en Danemark, etc. ; mais les Anglais et les Russes s'occupèrent moins activement que les autres peuples de ces déterminations délicates, et la principale opération géodésique qu'ils firent, fut entreprise, en 1784, par le major général Roy, dans le but de relier les mesures françaises aux mesures anglaises.

De toutes les mesures ci-dessus relatées, on pouvait déjà conclure que le degré moyen devait être évalué à cinquante-sept mille toises, soit vingt-cinq lieues anciennes de France, et en multipliant par cette valeur moyenne les trois cent soixante degrés que contient la circonférence, on trouvait que la terre mesurait neuf mille lieues de tour.

Mais, on l'a pu voir par les chiffres rapportés ci-dessus, les mesures des divers arcs obtenus en divers lieux du globe ne concordaient pas absolument entre elles. Néanmoins, de cette moyenne de cinquante-sept mille toises prise pour la mesure d'un degré, on déduisit la valeur du « mètre », c'est-à-dire la dix millionième partie du quart du méridien terrestre, qui se trouve être de 0.513074, soit trois pieds onze lignes deux cent quatre-vingt-seize millièmes de ligne.

En réalité, ce chiffre est un peu trop faible. De nou
veaux calculs, tenant compte de l'aplatissement de la
terre aux pôles qui est de $\frac{1}{299.15}$ et non $\frac{1}{334}$ comme
on l'avait admis d'abord, donnent, non plus dix millions
de mètres pour la mesure du quart du méridien, mais
bien dix millions huit cent cinquante-six mètres. Cette
différence de huit cent cinquante-six mètres est peu
appréciable sur une telle longueur ; néanmoins, mathématiquement parlant, on doit dire que le mètre, tel qu'il
est adopté, ne représente pas exactement la dix millionième partie du quart du méridien terrestre. Il y a une
erreur, en moins, d'environ deux dix millièmes de ligne.

Le mètre, ainsi déterminé, ne fut cependant pas
adopté par toutes les nations civilisées. La Belgique,
l'Espagne, le Piémont, la Grèce, la Hollande, les
anciennes colonies espagnoles, les républiques de
l'Équateur, de la Nouvelle-Grenade, de Costa Rica, etc.
l'admirent presque immédiatement ; mais malgré la
supériorité évidente du système métrique sur tous les
autres systèmes, l'Angleterre s'était refusée jusqu'à ce
jour à l'adopter.

Peut-être, sans les complications politiques qui mar-
quèrent la fin du XVIIIe siècle, ce système eût-il été
accepté par les populations du Royaume-Uni. Quand, le
8 mai 1790, l'Assemblée constituante rendit son décret,
les savants anglais de la Société royale furent invités à se
joindre aux savants français. Pour la mesure du mètre,
on devait décider si elle serait fondée sur la longueur du
pendule simple qui bat la seconde sexagésimale, ou si
l'on prendrait pour unité de longueur une fraction de l'un
des grands cercles de la terre. Mais les événements empê-
chèrent la réunion projetée.

Ce ne fut qu'en cette année 1854, que l'Angleterre,
comprenant depuis longtemps les avantages du système
métrique, et voyant d'ailleurs des sociétés de savants et

de commerçants se fonder pour propager cette réforme, résolut de l'adopter.

Mais le gouvernement anglais voulut tenir cette résolution secrète jusqu'au moment où de nouvelles opérations géodésiques, entreprises par lui, permettraient d'assigner au degré terrestre une valeur plus rigoureuse. Cependant, à cet égard, le gouvernement britannique crut devoir s'entendre avec le gouvernement russe qui penchait aussi pour l'adoption du système métrique.

Une commission, composée de trois astronomes anglais et de trois astronomes russes, fut donc choisie parmi les membres les plus distingués des sociétés scientifiques. On l'a vu, ce furent, pour l'Angleterre, le colonel Everest, sir John Murray et William Emery ; pour la Russie, MM. Mathieu Strux, Nicolas Palander et Michel Zorn.

Cette commission internationale, réunie à Londres, décida que tout d'abord la mesure d'un arc du méridien serait entreprise dans l'hémisphère austral. Cela fait, un nouvel arc du méridien serait ensuite relevé dans l'hémisphère boréal, et de l'ensemble de ces deux opérations, on espérait déduire une valeur rigoureuse qui satisferait à toutes les conditions du programme.

Restait le choix à faire entre les diverses possessions anglaises, situées dans l'hémisphère austral, la colonie du Cap, l'Australie, la Nouvelle-Zélande. La Nouvelle-Zélande et l'Australie, placées aux antipodes de l'Europe, obligeaient la commission scientifique à faire un long voyage. D'ailleurs, les Maoris et les Australiens, toujours en guerre avec leurs envahisseurs, pouvaient rendre fort difficile l'opération projetée. La colonie du Cap, au contraire, offrait des avantages réels : 1° Elle était située sous le même méridien que certaines portions de la Russie d'Europe, et après avoir mesuré un arc de méridien dans l'Afrique australe, on pourrait mesurer un

second arc du même méridien dans l'empire du tzar, tout en tenant l'opération secrète ; 2° le voyage aux possessions anglaises de l'Afrique australe était relativement court ; 3° enfin, ces savants anglais et russes trouveraient là une excellente occasion de contrôler les travaux de l'astronome français Lacaille, en opérant aux mêmes lieux que lui, et de vérifier s'il avait eu raison de donner le chiffre de cinquante-sept mille trente-sept toises, pour la mesure d'un degré du méridien au Cap de Bonne-Espérance.

Il fut donc décidé que l'opération géodésique serait pratiquée au Cap. Les deux gouvernements approuvèrent la décision de la commission anglo-russe. Des crédits importants furent ouverts. Tous les instruments nécessaires à une triangulation furent fabriqués en double. L'astronome William Emery fut invité à faire les préparatifs d'une exploration dans l'intérieur de l'Afrique australe. La frégate *Augusta*, de la marine royale, reçut l'ordre de transporter, à l'embouchure du fleuve Orange, les membres de la commission et leur suite.

Il convient aussi d'ajouter qu'à côté de la question scientifique, il y avait une question d'amour-propre national qui exaltait ces savants réunis dans une œuvre commune. Il s'agissait, en effet, de surpasser la France dans ses évaluations numériques, de vaincre en précision les travaux de ses plus illustres astronomes, et cela au milieu d'un pays sauvage et presque inconnu. Aussi les membres de la commission anglo-russe étaient-ils décidés à tout sacrifier, même leur vie, pour obtenir un résultat favorable à la science et en même temps glorieux pour leur pays.

Et voilà pourquoi, dans les derniers jours de janvier 1854, l'astronome William Emery se trouvait aux chutes de Morgheda, sur les rives du fleuve Orange.

V
Une bourgade hottentote

Le voyage sur le cours supérieur du fleuve s'accomplit rapidement. Le temps, cependant, ne tarda pas à devenir pluvieux ; mais les passagers, confortablement installés dans la chambre de la chaloupe, n'eurent aucunement à souffrir des pluies torrentielles, très communes pendant cette saison. Le *Queen and Tzar* filait rapidement. Il ne rencontrait ni rapides ni hauts-fonds, et le courant n'était pas assez fort pour ralentir sa marche.

Les rives de l'Orange offraient toujours le même aspect enchanteur. Les forêts d'essences variées se succédaient sur ses bords, et tout un monde d'oiseaux en habitait les cimes verdoyantes. Çà et là se groupaient des arbres appartenant à la famille des protéacées, et particulièrement des « wagenboom » », au bois rougeâtre et marbré, qui produisaient un effet bizarre avec leurs feuilles d'un bleu intense et leurs larges fleurs jaune pâle ; puis aussi des « zwartebast », arbres à écorce noire, des « karrees » au feuillage sombre et persistant. Quelques taillis s'étendaient à la distance de plusieurs milles au-delà des rives du fleuve, en tout endroit ombragées de saules pleureurs. Çà et là, de vastes terrains découverts se montraient inopinément. C'étaient de grandes plaines, couvertes d'innombrables coloquintes, et coupées de « buissons à sucre », formés de protées mellifères, d'où s'échappaient des bandes de petits oiseaux au doux chant, que les colons du Cap nomment « suiker-vogels ».

Le monde volatile offrait des échantillons très variés. Le bushman les faisait remarquer à sir John Murray, grand amateur du gibier de poil et de plume. Aussi une sorte d'intimité s'établit-elle entre le chasseur anglais et Mokoum, auquel son noble compagnon, accomplissant la promesse du colonel Everest, avait fait présent d'un excellent rifle, du système Pauly, à longue portée. Inutile de peindre la satisfaction du bushman, à se voir possesseur de cette arme magnifique.

Les deux chasseurs s'entendaient bien. Tout en étant un savant distingué, sir John Murray passait pour l'un des plus brillants « hunter-fox » de la vieille Calédonie. Il écoutait avec intérêt, avec envie les récits du bushman. Ses yeux s'enflammaient quand le chasseur lui montrait sous bois quelques ruminants sauvages, là des girafes par troupes de quinze à vingt individus, ici des buffles hauts de six pieds, la tête armée d'une spire de cornes noires, plus loin, des « gnous » farouches à queue de cheval, ailleurs, des bandes de « caamas », sortes de grands daims, aux yeux enflammés, dont les cornes présentent un triangle menaçant, et partout, sous les forêts épaisses comme au milieu des plaines nues, ces innombrables variétés d'antilopes qui pullulent dans l'Afrique australe, le chamois-bâtard, le gemsbok, la gazelle, le bouc des buissons, le bouc sauteur, etc. N'y avait-il pas là de quoi tenter les instincts d'un chasseur, et les chasses au renard des basses-terres d'Écosse pouvaient-elles rivaliser avec les exploits d'un Cummins, d'un Anderson ou d'un Baldwin ?

Il faut dire que les compagnons de sir John Murray étaient moins émus à la vue de ces magnifiques échantillons de gibier sauvage. William Emery observait ses collègues avec attention et cherchait à les deviner sous leur froide apparence. Le colonel Everest et Mathieu Strux, tous deux du même âge à peu près, étaient également réservés, contenus et formalistes. Ils parlaient avec une lenteur mesurée, et chaque matin on eût dit que jusqu'à la veille au soir, ils ne s'étaient encore jamais rencontrés. Il ne fallait pas espérer qu'une intimité quelconque pût jamais s'établir entre ces deux personnages importants. Il est certain que deux glaçons, juxtaposés, finissent par adhérer entre eux, mais jamais deux savants, quand ils occupent tous deux une haute place dans la science.

Nicolas Palander, âgé de cinquante-cinq ans, était un de ces hommes qui n'ont jamais été jeunes, et qui ne seront jamais vieux. L'astronome d'Helsingfors, constamment absorbé dans ses calculs, pouvait être une machine admirablement organisée, mais ce n'était qu'une machine, une sorte d'*abaque* ou de *compteur universel*. Calculateur de la commission anglo-russe, ce savant n'était qu'un de ces « prodiges » qui font, de tête, des multiplications avec cinq chiffres par facteurs, quelque chose comme un Mondeux quinquagénaire.

Michel Zorn, par son âge, son tempérament enthousiaste, sa bonne humeur, se rapprochait de William Emery. Ses qualités aimables ne l'empêchaient pas d'être un astronome de grand mérite, ayant déjà une célébrité précoce. Les découvertes faites par lui et sous sa direction à l'observatoire de Kiew, au sujet de la nébuleuse d'Andromède, avaient eu un grand retentissement dans l'Europe savante. A son mérite incontestable il joignait une grande modestie et s'effaçait en toute occasion.

William Emery et Michel Zorn devaient être deux amis. Les mêmes goûts, les mêmes aspirations les réunirent. Le plus souvent, ils causaient ensemble. Pendant ce temps, le colonel Everest et Mathieu Strux s'observaient froidement, Palander extrayait mentalement des racines cubiques sans remarquer les sites enchanteurs de la rive.

et sir John Murray et le bushman formaient des projets d'hécatombes cynégétiques.

Ce voyage sur le haut cours de l'Orange ne fut marqué par aucun incident. Quelquefois, les falaises, rives granitiques qui encaissaient le lit sinueux du fleuve, semblaient fermer toute issue. Souvent aussi, des îles boisées jetées dans le courant auraient pu rendre incertaine la route à suivre. Mais le bushman n'hésitait jamais, et le *Queen and Tzar* choisissait la route favorable, ou sortait sans retard du cirque des falaises. Le timonier n'eut pas à se repentir une seule fois d'avoir suivi les indications de Mokoum.

En quatre jours, la chaloupe à vapeur franchit les deux cent quarante milles qui séparent les cataractes de Morgheda du Kuruman, l'un des affluents qui remontait précisément à la ville de Lattakou, que devait atteindre l'expédition du colonel Everest. Le fleuve, à trente lieues en amont des chutes, formait un coude, et modifiant sa direction générale qui est ouest et est, il revenait au sud-est mordre l'angle aigu que fait au nord le territoire de la colonie du Cap. De cet endroit, il pointait au nord-est, et allait se perdre à trois cent milles de là dans les régions boisées de la république de Transvaal.

Ce fut le 5 février, pendant les premières heures de la matinée et par une pluie battante, que le *Queen and Tzar* atteignit la station de Klaarwater, village hottentot, près duquel le Kuruman se jette dans l'Orange. Le colonel Everest, ne voulant pas perdre un instant, dépassa rapidement les quelques cabanes boschjesmanes qui forment le village, et sous l'impulsion de son hélice, la chaloupe commença à remonter le courant du nouvel affluent. Ce courant rapide, ainsi que l'observèrent les passagers du *Queen and Tzar*, était dû à une particularité singulière de ce cours d'eau. En effet, le Kuruman, très large à sa source, s'amoindrit, en descendant, sous l'influence des rayons solaires. Mais, en cette saison, grossi par les pluies, accru des eaux d'un sous-affluent, la Moschona, il était profond et rapide. Les feux furent donc poussés, et la chaloupe remonta le cours du Kuruman à raison de trois milles à l'heure.

Pendant cette traversée, le bushman signala dans les eaux de la rivière la présence d'un assez grand nombre d'hippopotames. Ces gros pachydermes que les Hollandais du Cap nomment « vaches marines », épais et lourds animaux, longs de huit à dix pieds, étaient d'humeur peu agressive. Les hennissements de la barque à vapeur et les patouillements de l'hélice les effrayaient. Cette embarcation leur paraissait quelque monstre nouveau dont ils devaient se défier, et de fait, l'arsenal du bord rendait son approche fort difficile. Sir John Murray eût volontiers essayé ses balles explosibles sur ces masses charnues : mais le bushman lui affirma que les hippopotames ne manqueraient pas dans les cours d'eau du nord, et sir John Murray résolut d'attendre de plus favorables occasions.

Les cent cinquante milles qui séparent l'embouchure du Kuruman de la station de Lattakou furent franchis en cinquante heures. Le 7 février, à trois heures du soir, le point d'arrivée était atteint.

Lorsque la chaloupe à vapeur eut été amarrée à la berge qui servait de quai, un homme âgé de cinquante ans, l'air grave, mais de physionomie bonne, se présenta à bord, et tendit la main à William Emery. L'astronome, présentant alors le nouveau venu à ses compagnons de voyage, dit :

« Le révérend Thomas Dale, de la Société des Missions de Londres, et le directeur de la station de Lattakou. »

Les Européens saluèrent le révérend Thomas Dale, qui leur souhaita la bienvenue, et se mit à leur entière disposition.

La ville de Lattakou, ou plutôt la bourgade de ce nom, forme la station de missionnaires la plus éloignée du Cap vers le nord. Elle se divise en ancien et nouveau Lattakou. L'ancien, presque abandonné actuellement, que le *Queen and Tzar* venait d'atteindre, comptait encore, au commencement du siècle, douze mille habitants, qui depuis ont émigré dans le nord-est. Cette ville, bien déchue, a été remplacée par le nouveau Lattakou, bâti non loin, dans une plaine autrefois couverte d'acacias.

Ce nouveau Lattakou, auquel les Européens se rendirent sous la conduite du révérend, comprenait une quarantaine de groupes de maisons, et contenait environ cinq ou six mille habitants qui appartiennent à la grande tribu des Béchuanas.

C'est dans cette ville que le docteur David Livingstone séjourna pendant trois mois, en 1840, avant d'entreprendre son premier voyage au Zambèse, voyage qui devait entraîner l'illustre voyageur à travers toute l'Afrique centrale, depuis la baie de Loanda au Congo, jusqu'au port de Kilmane, sur la côte de Mozambique.

Arrivé au nouveau Lattakou, le colonel Everest remit au directeur de la mission une lettre du docteur Livingstone, qui recommandait la commission anglo-russe à ses amis de l'Afrique australe. Thomas Dale lut cette lettre avec un extrême plaisir, puis il la rendit au colonel Everest, disant qu'elle pourrait lui être utile pendant son voyage d'exploration, le nom de David Livingstone étant connu et honoré dans toute cette partie de l'Afrique.

Les membres de la commission furent logés à l'établissement des missionnaires, vaste case proprement bâtie sur une éminence, et qu'une haie impénétrable entourait comme une enceinte fortifiée. Les Européens s'installèrent dans cette habitation d'une façon plus confortable que s'ils s'étaient logés chez les Béchuanas. Non que ces demeures ne soient tenues proprement et avec ordre. Au contraire. Leur sol, en argile très lisse, n'offre pas un atome de poussière ; leur toit, fait d'un long chaume, est impénétrable à la pluie ; mais, en somme, ces maisons ne sont que des huttes dans lesquelles un trou circulaire, à peine praticable pour un homme, donne accès. Là, dans ces huttes, la vie est commune, et le contact immédiat des Béchuanas ne saurait passer pour agréable.

Le chef de la tribu, qui résidait à Lattakou, un certain Moulibahan, crut devoir se rendre près des Européens, afin de leur rendre ses devoirs. Moulibahan, assez bel homme, n'ayant du nègre ni les lèvres épaisses ni le nez épaté, montrant une figure ronde et non rétrécie dans sa partie inférieure comme celle des Hottentots, était vêtu d'un manteau de peaux cousues ensemble avec beaucoup d'art, et d'un tablier appelé « pukoje » dans la langue du pays. Il était coiffé d'une calotte de cuir, et chaussé de sandales en cuir de bœuf. A ses coudes se contournaient des anneaux d'ivoire ; à ses oreilles se balançait une lame de cuivre longue de quatre pouces, sorte de boucle d'oreille qui est aussi une amulette. Au-dessus de sa calotte se développait la queue d'une antilope. Son bâton de chasse supportait une touffe de petites plumes noires d'autruche. Quant à la couleur naturelle du corps de ce chef Béchuana, on ne pouvait la reconnaître sous l'épaisse couche d'ocre qui l'oignait des pieds à la tête. Quelques incisions à la cuisse, rendues ineffaçables, indiquaient le nombre d'ennemis tués par Moulibahan.

Ce chef, au moins aussi grave que Mathieu Strux lui-même, s'approcha des Européens, et les prit successivement par le nez. Les Russes se laissèrent faire sérieuse-

ment. Les Anglais furent un peu plus récalcitrants. Cependant, suivant les mœurs africaines, c'était un engagement solennel de remplir envers les Européens les devoirs de l'hospitalité.

Cette cérémonie achevée, Moulibahan se retira sans avoir prononcé une seule parole.

« Et maintenant que nous voici naturalisés Béchuanas, dit le colonel Everest, occupons-nous, sans perdre ni un jour ni une heure, de nos opérations. »

Ni un jour ni une heure ne furent perdus, et cependant — tant l'organisation d'une telle expédition exige de soins et de détails — la commission ne fut pas prête à partir avant les premiers jours de mars. C'était, d'ailleurs, la date assignée par le colonel Everest. A cette époque, la saison des pluies venait de finir, et l'eau, conservée dans les plis de terrain, devait fournir une ressource précieuse aux voyageurs du désert.

Le départ fut donc fixé au 2 mars. Ce jour-là, toute la caravane, mise sous les ordres de Mokoum, était prête. Les Européens firent leurs adieux aux missionnaires de Lattakou, et quittèrent la bourgade à sept heures du matin.

« Où allons-nous, colonel ? demanda William Emery, au moment où la caravane tournait la dernière case de la ville.

— Droit devant nous, monsieur Emery, répondit le colonel, jusqu'au moment où nous aurons trouvé un emplacement convenable pour l'établissement d'une base ! »

A huit heures, la caravane avait dépassé les collines aplaties et couvertes d'arbrisseaux nains, qui cernent la bourgade de Lattakou. Immédiatement, le désert avec ses dangers, ses fatigues, ses hasards, se déroula devant le pas des voyageurs.

VI
Où l'on achève
de se connaître

L'escorte, commandée par le bushman, se composait de cent hommes. Ces indigènes étaient tous Boschjesmen, gens laborieux, peu irritables, peu querelleurs, capables de supporter de grandes fatigues physiques. Autrefois, avant l'arrivée des missionnaires, ces Boschjesmen, menteurs et inhospitaliers, ne recherchaient que le meurtre et le pillage, et profitaient habituellement du sommeil de leurs ennemis pour les massacrer. Les missionnaires ont en partie modifié ces mœurs barbares : mais cependant ces indigènes sont toujours plus ou moins pilleurs de fermes et enleveurs de bestiaux.

Dix chariots, semblables au véhicule que le bushman avait conduit aux chutes de Morgheda, formaient le matériel roulant de l'expédition. Deux de ces chariots, sortes de maisons ambulantes, offraient un certain confort, et devaient servir au campement des Européens. Le colonel Everest et ses compagnons étaient ainsi suivis d'une habitation en bois, au plancher sec, bien bâchée d'une toile imperméable, et garnie de diverses couchettes et d'ustensiles de toilette. Dans les lieux de campement, c'était autant de temps économisé pour dresser la tente, puisque la tente arrivait toute dressée.

Un de ces chariots était destiné au colonel Everest et à ses deux compatriotes, sir John Murray et William

Emery. L'autre était habité par les Russes, Mathieu Strux, Nicolas Palander et Michel Zorn. Deux autres véhicules, disposés sur le même modèle, appartenaient, l'un aux cinq Anglais, et l'autre aux cinq Russes, qui formaient l'équipage du *Queen and Tzar.*

Il va sans dire que la coque et la machine de la chaloupe à vapeur, démontées par pièces et chargées sur un des chariots de l'expédition, suivaient les voyageurs à travers le désert africain. Les lacs sont nombreux à l'intérieur de ce continent. Quelques-uns pouvaient exister sur le parcours que choisirait la commission scientifique, et sa chaloupe lui rendrait alors de grands services.

Les autres chariots transportaient les instruments, les vivres, les colis des voyageurs, leurs armes, leurs munitions, les ustensiles nécessaires à la triangulation projetée, tels que pylônes portatifs, poteaux de signal, réverbères, chevalets nécessaires à la mesure de la base, et enfin les objets destinés aux cent hommes de l'escorte. Les vivres des Boschjesmen consistaient principalement en « biltongue », viande d'antilope, de buffle ou d'éléphant, découpée en longues lanières, qui, séchée au soleil ou soumise à l'action d'un feu lent, peut se conserver sous cette forme pendant des mois entiers. Ce mode de préparation économise l'emploi du sel, et il est fort suivi dans les régions où manque cet utile minéral. Quant au pain, les Boschjesmen comptaient le remplacer par divers fruits ou racines, les amandes de l'arachide, les bulbes de certaines espèces de mesembryanthèmes, tels que la figue indigène, des châtaignes, ou la moelle d'une variété de zamic, qui porte précisément le nom de « pain de Cafre. » Ces aliments, empruntés au règne végétal, devaient être renouvelés sur la route. Quant à la nourriture animale, les chasseurs de la troupe, maniant avec une adresse remarquable leurs arcs en bois d'aloès et leurs assagaies, sortes de longues lances, devaient battre les forêts ou les plaines et ravitailler la caravane.

Six bœufs, originaires du Cap, longues jambes, épaules hautes, cornes grandes, étaient attelés au timon de chaque chariot avec des harnais de peaux de buffle. Ainsi traînés, ces lourds véhicules, grossiers échantillons du charronnage primitif, ne devaient redouter ni les côtes ni les fondrières, et se déplacer sûrement, sinon rapidement, sur leurs roues massives.

Quant aux montures destinées au service des voyageurs, c'étaient de ces petits chevaux de race espagnole, noirs ou grisâtres de robe, qui furent importés au Cap des contrées de l'Amérique méridionale, bêtes douces et courageuses qui sont fort estimées. On comptait aussi dans la troupe à quatre pattes une demi-douzaine de « couaggas » domestiques, sortes d'ânes à jambes fines, à formes rebondies, dont le braiment rappelle l'aboiement du chien. Ces couaggas devaient servir pendant les expéditions partielles nécessitées par les opérations géodésiques, et transporter les instruments et ustensiles là où les lourds chariots n'auraient pu s'aventurer.

Par exception, le bushman montait avec une grâce et une adresse remarquables un animal magnifique qui excitait l'admiration de sir John Murray, fort connaisseur. C'était un zèbre dont le pelage, rayé de bandes brunes transversales, était d'une incomparable beauté. Ce zèbre mesurait quatre pieds au garrot, sept pieds de la bouche à la queue. Défiant, ombrageux par nature, il n'eût pas souffert d'autre cavalier que Mokoum, qui l'avait asservi à son usage.

Quelques chiens de cette espèce à demi sauvage, improprement désignés quelquefois sous le nom de « hyènes chasseresses », couraient sur les flancs de la caravane. Ils rappelaient, par leurs formes et leurs longues oreilles, le braque européen.

Tel était l'ensemble de cette caravane, qui allait s'enfoncer dans les déserts de l'Afrique. Les bœufs s'avançaient tranquillement, guidés par le « jambox » de leurs conducteurs, qui les piquait au flanc, et c'était un spectacle curieux que celui de cette troupe se développant au long des collines dans son ordre de marche.

Où se dirigeait l'expédition après avoir quitté Lattakou ?

« Allons droit devant nous », avait dit le colonel Everest.

En effet, en ce moment, le colonel et Mathieu Strux ne pouvaient suivre une direction déterminée. Ce qu'ils cherchaient avant de commencer leurs opérations trigonométriques, c'était une vaste plaine, régulièrement aplanie, afin d'y établir la base du premier de ces triangles, dont le réseau devait couvrir la région australe de l'Afrique sur une étendue de plusieurs degrés.

Le colonel Everest expliqua au bushman ce dont il s'agissait. Avec l'aplomb d'un savant auquel toute cette langue scientifique est familière, le colonel parla au chasseur triangles, angles adjacents, bases, mesure de méridienne, distances zénithales, etc. Le bushman le laissa dire pendant quelques instants ; puis, l'interrompant dans un mouvement d'impatience :

« Colonel, répondit-il, je n'entends rien à vos angles, à vos bases, à vos méridiennes. Je ne comprends même en aucune façon ce que vous allez faire dans le désert africain. Mais, après tout, cela vous regarde. Qu'est-ce que vous me demandez ? une belle et vaste plaine, bien droite, bien régulière ? Eh bien, on va vous chercher cela. »

Et sur l'ordre de Mokoum, la caravane, qui venait de dépasser les collines de Lattakou, redescendit vers le sud-ouest. Cette direction la ramenait un peu plus au sud de la bourgade, c'est-à-dire vers cette région de la plaine arrosée par le Kuruman. Le bushman espérait trouver au niveau de cet affluent une plaine favorable aux projets du colonel.

Le chasseur prit, dès ce jour, l'habitude de se tenir en tête de la caravane. Sir John Murray, bien monté, ne le quittait pas, et, de temps en temps, une détonation apprenait à ses collègues que sir John faisait connaissance avec le gibier africain: Le colonel, lui, tout absorbé, se laissait mener par son cheval, et songeait à l'avenir d'une telle expédition, véritablement difficile à diriger au milieu de ces contrées sauvages. Mathieu Strux, tantôt à cheval, tantôt en chariot, suivant la nature du terrain, ne desserrait pas souvent les lèvres. Quant à Nicolas Palander, aussi mauvais cavalier qu'on peut l'être, il marchait le plus souvent à pied ou se confinait dans son véhicule, et là, il s'absorbait dans les plus profondes abstractions des hautes mathématiques.

Si, pendant la nuit, William Emery et Michel Zorn occupaient leur chariot particulier, du moins, le jour les réunissait pendant la marche de la caravane. Ces deux jeunes gens se liaient chaque jour d'une plus étroite amitié que les incidents du voyage devaient cimenter encore. D'une étape à l'autre, ils chevauchaient ensemble, causant et discutant. Souvent ils s'éloignaient, tantôt s'écartant sur les flancs de l'expédition, tantôt la devançant de quelques milles, lorsque la plaine s'étendait à perte de vue devant leurs regards. Ils étaient libres alors, et comme perdus au milieu de cette sauvage nature. Comme ils causaient de tout, la science exceptée ! Comme ils oubliaient les chiffres et les problèmes, les calculs et les observations. Ce n'étaient plus des astronomes, des contemplateurs de la voûte constellée, mais bien deux échappés de collège, heureux de traverser les forêts épaisses, de courir les plaines infinies, de respirer ce grand air tout chargé de pénétrantes senteurs. Ils riaient, oui, ils riaient comme de simples mortels, et non comme des gens graves, qui font leur société habituelle

des comètes et autres sphéroïdes. S'ils ne riaient jamais de la science, ils souriaient quelquefois en songeant à ces austères savants qui ne sont pas de ce monde. Aucune méchanceté en tout ceci, d'ailleurs. C'étaient deux excellentes natures, expansives, aimables, dévouées, qui contrastaient singulièrement avec leurs chefs, plutôt raidis que raides, le colonel Everest et Mathieu Strux.

Et précisément ces deux savants étaient souvent l'objet de leurs remarques. William Emery, par son ami Michel Zorn, apprenait à les connaître.

« Oui, dit ce jour-là Michel Zorn, je les ai bien observés pendant notre traversée à bord de l'*Augusta*, et, je suis malheureusement forcé d'en convenir, ces deux hommes sont jaloux l'un de l'autre. Si le colonel Everest semble commander en chef notre expédition, mon cher William, Mathieu Strux n'en est pas moins son égal. Le gouvernement russe a établi nettement sa position. Nos deux chefs sont aussi impérieux l'un que l'autre. En outre, je vous le répète, il y a entre eux jalousie de savants, la pire de toutes les jalousies.

— Et celle qui a le moins raison d'être, répondit William Emery, car tout se tient dans le champ des découvertes, et chacun de nous tire profit des efforts de tous. Mais si vos remarques sont justes, et j'ai lieu de croire qu'elles le sont, mon cher Zorn, c'est une circonstance fâcheuse pour notre expédition. Il nous faut, en effet, une entente absolue pour qu'une opération aussi délicate réussisse.

— Sans doute, répondit Michel Zorn, et je crains bien que cette entente n'existe pas. Jugez un peu de notre désarroi, si chaque détail de l'opération, le choix de la base, la méthode de calculs, l'emplacement des stations, la vérification des chiffres, amène chaque fois une discussion nouvelle ! Ou je me trompe fort, ou je prévois bien des chicanes, quand il s'agira de collationner nos doubles registres, et d'y porter des observations qui nous auront permis d'apprécier jusqu'à des quatre cents millièmes de toise[1].

— Vous m'effrayez, mon cher Zorn, répondit William Emery. Il serait pénible, en effet, de s'être aventuré si loin et d'échouer faute de concorde dans une entreprise de ce genre. Dieu veuille que vos craintes ne se réalisent pas.

— Je le souhaite, William, répondit le jeune astronome russe ; mais, je vous le répète, pendant la traversée, j'ai assisté à certaines discussions de méthodes scientifiques qui prouvent un entêtement inqualifiable chez le colonel Everest et son rival. Au fond, j'y sentais une misérable jalousie.

— Mais ces deux messieurs ne se quittent pas, fit observer William Emery. On ne les surprendrait pas l'un sans l'autre. Ils sont inséparables, plus inséparables que nous-mêmes.

— Oui, répondit Michel Zorn, ils ne se quittent pas, tant que le jour dure, mais ils n'échangent pas dix paroles. Ils se surveillent, ils s'épient. Si l'un ne parvient pas à annihiler l'autre, nous opérerons dans des conditions vraiment déplorables.

— Et selon vous, demanda William avec une certaine hésitation, auquel de ces deux savants souhaiteriez-vous... ?

— Mon cher William, répondit Michel Zorn avec une grande franchise, j'accepterai loyalement pour chef celui des deux qui saura s'imposer comme tel. Dans cette question scientifique, je n'apporte aucun préjugé, aucun amour-propre national. Mathieu Strux et le colonel Everest sont deux hommes remarquables. Ils se valent tous deux. L'Angleterre et la Russie doivent profiter également du résultat de leurs travaux. Il importe donc peu

1. Des deux centièmes de millimètre.

que ces travaux soient dirigés par un Anglais ou par un Russe. N'êtes-vous pas de mon avis ?

— Absolument, mon cher Zorn, répondit William Emery. Ne nous laissons donc point distraire par des préjugés absurdes, et dans la limite de nos moyens, employons tous deux nos efforts au bien commun. Peut-être nous sera-t-il possible de détourner les coups que se porteront les deux adversaires. D'ailleurs votre compatriote, Nicolas Palander...

— Lui ! répondit en riant Michel Zorn, il ne verra rien, il n'entendra rien, il ne comprendra rien. Il calculerait pour le compte de Theodoros, pourvu qu'il calculât. Il n'est ni Russe, ni Anglais, ni Prussien, ni Chinois ! Ce n'est pas même un habitant du globe sublunaire. Il est Nicolas Palander, voilà tout.

— Je n'en dirai pas autant de mon compatriote, sir John Murray, répondit William Emery. Son Honneur est un personnage très anglais, mais c'est aussi un chasseur déterminé, et il se lancera plus facilement sur les traces d'une girafe ou d'un éléphant que dans une discussion de méthodes scientifiques. Ne comptons donc que sur nous-mêmes, mon cher Zorn, pour amortir le contact incessant de nos chefs. Il est inutile d'ajouter que, quoi qu'il arrive, nous serons toujours franchement et loyalement unis.

— Toujours, quoi qu'il arrive ! » répondit Michel Zorn, tendant la main à son ami William.

Cependant la caravane, guidée par le bushman, continuait à descendre vers les régions du sud-ouest. Pendant la journée du 4 mars, à midi, elle atteignit la base de ces longues collines boisées, qu'elle suivait depuis Lattakou. Le chasseur ne s'était pas trompé ; il avait conduit l'expédition vers la plaine. Mais cette plaine, encore ondulée, ne pouvait se prêter aux premiers travaux de la triangulation. La marche en avant ne fut donc pas interrompue. Mokoum reprit la tête des cavaliers et des chariots, tandis que sir John Murray, William Emery et Michel Zorn poussaient une pointe en avant.

Vers la fin de la journée, toute la troupe atteignit une de ces stations occupées par les fermiers nomades, ces « boors » que la richesse des pâturages fixe pour quelques mois en certains lieux. Le colonel Everest et ses compagnons furent hospitalièrement accueillis par ce colon, un Hollandais, chef d'une nombreuse famille, qui, en retour de ses services, ne voulut accepter aucune espèce de dédommagement. Ce fermier était un de ces hommes courageux, sobres et travailleurs, dont le faible capital, intelligemment employé à l'élevage des bœufs, des vaches et des chèvres, se change bientôt en une fortune. Quand le pâturage est épuisé, le fermier, comme un patriarche des anciens jours, cherche une source nouvelle, des prairies grasses, et reconstitue son campement dans d'autres conditions plus favorables.

Ce fermier indiqua très à propos au colonel Everest une large plaine, située à une distance de quinze milles, vaste étendue de terrain plat qui devait parfaitement convenir à des opérations géodésiques.

Le lendemain 5 mars, la caravane partit dès l'aube. On marcha toute la matinée. Aucun incident n'aurait varié la monotonie de cette promenade, si John Murray n'eût abattu d'une balle, à douze cents mètres, un curieux animal, à museau de bœuf, à longue queue blanche, et dont le front était armé de cornes pointues. C'était un gnou, un bœuf sauvage, qui fit entendre en tombant un gémissement sourd.

Le bushman fut émerveillé à voir la bête, frappée avec une telle précision malgré la distance, tomber morte du coup. Cet animal, haut de cinq pieds environ, fournit à l'ordinaire une notable quantité de chair excellente, si bien que les gnous furent spécialement recommandés aux chasseurs de la caravane.

Vers midi, l'emplacement désigné par le fermier était

atteint. C'était une prairie sans limite vers le nord, et dont le sol ne présentait aucune dénivellation. On ne pouvait imaginer un terrain plus favorable à la mesure d'une base. Aussi, le bushman, après avoir examiné l'endroit, revint vers le colonel Everest, et lui dit :

« La plaine demandée, colonel. »

VII
Une base de triangle

L'opération géodésique qu'allait entreprendre la commission était, on le sait, un travail de triangulation ayant pour but la mesure d'un arc de méridien. Or, la mesure d'un ou de plusieurs degrés, directement, au moyen de règles métalliques posées bout à bout, serait un travail absolument impraticable, au point de vue de l'exactitude mathématique. Aucun terrain, d'ailleurs, en aucun point du globe, ne serait assez uni sur un espace de plusieurs centaines de lieues, pour se prêter efficacement à l'exécution d'une opération aussi délicate. Fort heureusement, on peut procéder d'une façon plus rigoureuse, en partageant tout le terrain que doit traverser la ligne du méridien en un certain nombre de triangles « aériens », dont la détermination est relativement peu difficile.

Ces triangles s'obtiennent en visant au moyen d'instruments précis, le théodolite ou le cercle répétiteur, des signaux naturels ou artificiels, tels que clochers, tours, réverbères, poteaux. A chaque signal aboutit un triangle, dont les angles sont donnés par les instruments susdits avec une précision mathématique. En effet, des objets quelconques, — un clocher, le jour, un réverbère, la nuit —, peuvent être relevés avec une exactitude parfaite par un bon observateur qui les vise au moyen d'une lunette dont le champ est divisé par des fils d'un réticule. On obtient ainsi des triangles, dont les côtés mesurent souvent plusieurs milles de longueur. C'est de cette façon qu'Arago a joint la côte de Valence en Espagne aux îles Baléares par un immense triangle, dont l'un des côtés a quatre-vingt-deux mille cinq cent cinquante-cinq toises de longueur[1].

Or, d'après un principe de géométrie, un triangle quelconque est entièrement « connu », quand on connaît un de ses côtés et deux de ses angles, car on peut conclure immédiatement la valeur du troisième angle et la longueur des deux autres côtés. Donc, en prenant pour base d'un nouveau triangle un côté des triangles déjà formés, et en mesurant les angles adjacents à cette base, on établira ainsi de nouveaux triangles qui seront successivement menés jusqu'à la limite de l'arc à mesurer. On a donc, par cette méthode, les longueurs de toutes les droites comprises dans le réseau de triangles, et par une série de calculs trigonométriques, on peut facilement déterminer la grandeur de l'arc du méridien qui traverse le réseau entre les deux stations terminales.

Il vient d'être dit qu'un triangle est entièrement connu, quand on connaît un de ses côtés et deux de ses angles. Or, ces angles, on peut les obtenir exactement au moyen du théodolite ou du cercle répétiteur. Mais ce premier côté, — base de tout le système —, il faut d'abord « le mesurer directement sur le sol », avec une précision extraordinaire, et c'est là le travail le plus délicat de toute triangulation.

1. Soit 160 kilomètres ou 40 lieues.

Lorsque Delambre et Méchain mesurèrent la méridienne de France depuis Dunkerque jusqu'à Barcelone, ils prirent pour base de leur triangulation une direction rectiligne sur la route qui va de Melun à Lieusaint, dans le département de Seine-et-Marne. Cette base avait douze mille cent cinquante mètres, et il ne fallut pas moins de quarante-cinq jours pour la mesurer. Quels moyens ces savants employèrent-ils pour obtenir une exactitude mathématique, c'est ce qu'apprendra l'opération du colonel Everest et de Mathieu Strux, qui agirent comme avaient agi les deux astronomes français. On verra jusqu'à quel point la précision devait être portée.

Ce fut pendant cette journée du 5 mars que les premiers travaux géodésiques commencèrent au grand étonnement des Boschjesmen, qui n'y pouvaient rien comprendre. Mesurer la terre avec des règles longues de six pieds, placées bout à bout, cela paraissait au chasseur une plaisanterie de savants. En tout cas, il avait rempli son devoir. On lui avait demandé une plaine bien unie, et il avait fourni la plaine.

L'emplacement était bien choisi, en effet, pour la mesure directe d'une base. La plaine, revêtue d'un petit gazon sec et ras, s'étendait jusqu'aux limites de l'horizon suivant un plan nettement nivelé. Certainement les opérateurs de la route de Melun n'avaient pas été aussi favorisés. En arrière ondulait une ligne de collines qui formait l'extrême limite sud du désert de Kalahari. Au nord, l'infini. Vers l'est mouraient en pentes douces les versants de ces hauteurs qui composaient le plateau de Lattakou.

A l'ouest, la plaine, s'abaissant encore, devenait marécageuse, et s'imbibait d'une eau stagnante qui alimentait les affluents du Kuruman.

« Je pense, colonel Everest, dit Mathieu Strux, après avoir observé cette nappe herbeuse, je pense que lorsque notre base sera établie, nous pourrons fixer ici même le point terminal de la méridienne.

— Je penserai comme vous, monsieur Strux, répondit le colonel Everest, dès que nous aurons déterminé la longitude exacte de ce point. Il faut, en effet, reconnaître, en le reportant sur la carte, si cet arc de méridien ne rencontre pas sur son parcours des obstacles infranchissables qui pourraient arrêter l'opération géodésique.

— Je ne le crois pas, répondit l'astronome russe.

— Nous le verrons bien, répondit l'astronome anglais. Mesurons d'abord la base en cet endroit, puisqu'il se prête à cette opération, et nous déciderons ensuite s'il conviendra de la relier par une série de triangles auxiliaires au réseau des triangles que devra traverser l'arc du méridien. »

Cela décidé, on résolut de procéder sans retard à la mesure de la base. L'opération devait être longue, car les membres de la commission anglo-russe voulaient l'accomplir avec une exactitude rigoureuse. Il s'agissait de vaincre en précision les mesures géodésiques faites en France sur la base de Melun, mesures si parfaites cependant, qu'une nouvelle base, mesurée plus tard près de Perpignan, à l'extrémité sud de la triangulation, et destinée à la vérification des calculs exigés par tous les triangles, n'indiqua qu'une différence de onze pouces sur une distance de trois cent trente mille toises[1], entre la mesure directement obtenue et la mesure seulement calculée.

Les ordres pour le campement furent alors donnés, et une sorte de village boschjesman, une espèce de kraal, s'improvisa dans la plaine. Les chariots furent disposés comme des maisons véritables, et la bourgade se divisa en quartier anglais et en quartier russe au-dessus desquels flottaient les pavillons nationaux. Au centre s'étendait une place commune. Au-delà de la ligne circulaire

1. Soit 175 lieues.

des chariots paissaient les chevaux et les buffles sous la garde de leurs conducteurs, et pendant la nuit, on les faisait rentrer dans l'enceinte formée par les chariots, afin de les soustraire à la rapacité des fauves qui sont très communs dans l'intérieur de l'Afrique australe.

Ce fut Mokoum qui se chargea d'organiser les chasses destinées au ravitaillement de la bourgade. Sir John Murray, dont la présence n'était pas indispensable pour la mesure de la base, s'occupa plus spécialement du service des vivres. Il importait, en effet, de ménager les viandes conservées, et de fournir quotidiennement à la caravane un ordinaire de venaison fraîche. Grâce à l'habileté de Mokoum, à sa pratique constante, et à l'adresse de ses compagnons, le gibier ne manqua pas. Les plaines et les collines furent battues dans un rayon de plusieurs milles autour du campement, et retentirent à toute heure des détonations des armes européennes.

Le 6 mars, les opérations géodésiques commencèrent. Les deux plus jeunes savants de la commission furent chargés des travaux préliminaires.

« En route, mon camarade, dit joyeusement Michel Zorn à William Emery, et que le Dieu de la précision nous soit en aide ! »

La première opération consista à tracer sur le terrain, dans sa partie la plus plate et la plus unie, une direction rectiligne. La disposition du sol donna à cette droite l'orientation du sud-est au nord-ouest. Son rectilisme fut obtenu au moyen de piquets plantés en terre à une courte distance l'un de l'autre, et qui formèrent autant de jalons. Michel Zorn, muni d'une lunette à réticule, vérifiait la pose de ces jalons et la reconnaissait exacte, lorsque le fil vertical du réticule partageait toutes leurs images focales en parties égales.

Cette direction rectiligne fut ainsi relevée pendant neuf milles environ, longueur présumée que les astronomes comptaient donner à leur base. Chaque piquet avait été muni à son sommet d'une mire qui devait faciliter le placement des règles métalliques. Ce travail demanda quelques jours pour être mené à bonne fin. Les deux jeunes gens l'accomplirent avec une scrupuleuse exactitude.

Il s'agissait alors de poser bout à bout les règles destinées à mesurer directement la base du premier triangle, opération qui peut paraître fort simple, mais qui demande, au contraire, des précautions infinies, et de laquelle dépend en grande partie le succès d'une triangulation.

Voici quelles furent les dispositions prises pour le placement des règles en question, qui vont être décrites plus bas.

Pendant la matinée du 10 mars, des socles en bois furent établis sur le sol, suivant la direction rectiligne déjà relevée. Ces socles, au nombre de douze, reposaient par leur partie inférieure sur trois vis de fer, dont le jeu n'était que de quelques pouces, qui les empêchaient de glisser et les maintenaient par leur adhérence dans une position invariable.

Sur ces socles, on disposa de petites pièces de bois parfaitement dressées, qui devaient supporter les règles, et les contenir dans de petites montures. Ces montures en fixaient la direction, sans gêner leur dilatation qui devait varier suivant la température et dont il importait de tenir compte dans l'opération.

Lorsque les douze socles eurent été fixés et recouverts des pièces de bois, le colonel Everest et Mathieu Strux s'occupèrent de la pose si délicate des règles, opération à laquelle prirent part les deux jeunes gens. Quant à Nicolas Palander, le crayon à la main, il était prêt à noter sur un double registre les chiffres qui lui seraient transmis.

Les règles employées étaient au nombre de six, et d'une longueur déterminée d'avance avec une précision absolue. Elles avaient été comparées à l'ancienne toise française, généralement adoptée pour les mesures géodésiques.

Ces règles étaient longues de deux toises, larges de six lignes sur une épaisseur d'une ligne. Le métal employé dans leur fabrication avait été le platine, métal inaltérable à l'air dans les circonstances habituelles, et complètement inoxydable, soit à froid, soit à chaud. Mais ces règles de platine devaient subir un allongement ou une diminution dont il fallait tenir compte, sous l'action variable de la température. On avait donc imaginé de les pourvoir chacune de leur propre thermomètre, — thermomètre métallique fondé sur la propriété qu'ont les métaux de se modifier inégalement sous l'influence de la chaleur. C'est pourquoi chacune de ces règles était recouverte d'une autre règle en cuivre, un peu inférieure en longueur. Un vernier[1], disposé à l'extrémité de la règle de cuivre, indiquait exactement l'allongement relatif de ladite règle, ce qui permettait de déduire l'allongement absolu du platine. De plus, les variations du vernier avaient été calculées de telle sorte, que l'on pouvait évaluer une dilatation, si petite qu'elle fût, dans la règle de platine. On comprend donc avec quelle précision il était permis d'opérer. Ce vernier était, d'ailleurs, muni d'un microscope qui permettait d'estimer des quarts de cent millième de toise.

Les règles furent donc disposées sur les pièces de bois, bout à bout, mais sans se toucher, car il fallait éviter le choc si léger qu'il fût, qui eût résulté d'un contact immédiat. Le colonel Everest et Mathieu Strux placèrent eux-mêmes la première règle sur la pièce de bois, dans la direction de la base. A cent toises de là, environ, au-dessus du premier piquet, on avait établi une mire, et comme les règles étaient armées de deux pointes verticales de fer implantées sur l'axe même, il devenait facile

1. Appareil qui sert à fractionner l'intervalle entre les points de division d'une ligne droite ou d'un arc de cercle.

de les placer exactement dans la direction voulue. En effet, Emery et Zorn, s'étant portés en arrière, et se couchant sur le sol, examinèrent si les deux pointes de fer se projetaient bien sur le milieu de la mire. Cela fait, la bonne direction de la règle était assurée.

« Maintenant, dit le colonel Everest, il faut déterminer d'une façon précise le point de départ de notre opération, en portant un fil à plomb tangent à l'extrémité de la première règle. Aucune montagne n'exercera d'action sensible sur ce fil[1], et de cette façon, il marquera exactement sur le sol l'extrémité de la base.

— Oui, répondit Mathieu Strux, à la condition, cependant, que nous tenions compte de la demi-épaisseur du fil au point de contact.

— Je l'entends bien ainsi », répondit le colonel Everest.

Le point de départ fixé d'une façon précise, le travail continua. Mais il ne suffisait pas que la règle fût placée exactement dans la direction rectiligne de la base, il fallait encore tenir compte de son inclinaison par rapport à l'horizon.

« Nous n'avons pas la prétention, je pense, dit le colonel Everest, de placer cette règle dans une position parfaitement horizontale ?

— Non, répondit Mathieu Strux, il suffira de relever avec un niveau l'angle que chaque règle fera avec l'horizon, et nous pourrons ainsi réduire la longueur mesurée avec la longueur véritable. »

Les deux savants étant d'accord, on procéda à ce relèvement au moyen d'un niveau spécialement construit à cet effet, formé d'une alidade mobile autour d'une charnière placée au sommet d'une équerre en bois. Un vernier indiquait l'inclinaison par la coïncidence de ses

1. La présence d'une montagne peut, en effet, par son attraction, dévier la direction d'un fil, et ce fut précisément le voisinage des Alpes qui produisit une différence assez notable entre la longueur observée et la longueur mesurée de l'arc qui fut calculé entre Andrate et Mondovi.

divisions avec celles d'une règle fixe portant un arc de dix degrés, divisé de cinq minutes en cinq minutes.

Le niveau fut appliqué sur la règle et le résultat fut reconnu. Au moment où Nicolas Palander allait l'inscrire sur son registre, après qu'il eut été successivement contrôlé par les deux savants, Mathieu Strux demanda que le niveau fût retourné bout à bout, de manière à lire la différence des deux arcs. Cette différence devenait alors le double de l'inclinaison cherchée, et le travail se trouvait alors contrôlé. Le conseil de l'astronome russe fut suivi depuis lors dans toutes les opérations de ce genre.

A ce moment, deux points importants étaient observés : la direction de la règle par rapport à la base, et l'angle qu'elle formait par rapport à l'horizon. Les chiffres résultant de cette observation furent consignés sur deux registres différents, et signés en marge par les membres de la commission anglo-russe.

Restaient deux observations non moins importantes à noter pour terminer le travail relatif à la première règle : d'abord sa variation thermométrique, puis l'évaluation exacte de la longueur mesurée par elle.

Pour la variation thermométrique, elle fut facilement indiquée par la comparaison des différences de longueur entre la règle de platine et la règle de cuivre. Le microscope, successivement observé par Mathieu Strux et le colonel Everest, donna le chiffre absolu de la variation de la règle de platine, variation qui fut inscrite sur le double registre, de manière à être réduite plus tard à la température de 16 degrés centigrades. Lorsque Nicolas Palander eut porté les chiffres obtenus, ces chiffres furent immédiatement collationnés par tous.

Il s'agissait alors de noter la longueur réellement mesurée. Pour obtenir ce résultat, il était nécessaire de placer la seconde règle sur la pièce de bois, à la suite de la première règle, en laissant un petit intervalle entre elles. Cette seconde règle fut disposée comme l'avait été la précédente, après qu'on eut scrupuleusement vérifié si les quatre pointes de fer étaient bien alignées avec le milieu de la mire.

Il ne restait donc plus qu'à mesurer l'intervalle laissé entre les deux règles. A l'extrémité de la première, et dans la partie que ne recouvrait point la règle de cuivre, se trouvait une petite languette de platine qui glissait à léger frottement entre deux coulisses. Le colonel Everest poussa cette languette, de manière à ce qu'elle vînt toucher la seconde règle. Comme ladite languette était divisée en dix millièmes de toise, et qu'un vernier inscrit sur une des coulisses et muni de son microscope donnait des cent millièmes, on put évaluer avec une certitude mathématique l'intervalle laissé à dessein entre les deux règles. Le chiffre fut aussitôt porté sur le double registre et immédiatement collationné.

Une autre précaution fut encore prise, sur l'avis de Michel Zorn, pour obtenir une évaluation plus rigoureuse. La règle de cuivre recouvrait la règle de platine. Il pouvait donc arriver que, sous l'influence des rayons solaires, le platine abrité s'échauffât plus lentement que le cuivre. Afin d'obvier à cette différence dans la variation thermométrique, on recouvrit les règles d'un petit toit élevé de quelques pouces, de manière à ne pas gêner les diverses observations. Seulement, quand, le soir ou le matin, les rayons solaires, obliquement dirigés, pénétraient sous le toit jusqu'aux règles, on tendait une toile du côté du soleil, de manière à en arrêter les rayons.

Telles furent les opérations qui furent conduites avec cette patience et cette minutie pendant plus d'un mois. Lorsque les quatre règles avaient été consécutivement posées et vérifiées au quadruple point de vue de la direction, de l'inclinaison, de la dilatation et de la longueur effective, on recommençait le travail avec la même régularité, en reportant les socles, les tréteaux et la première règle à la suite de la quatrième. Ces manœuvres exigeaient beaucoup de temps, malgré l'habileté des opérateurs. Ils ne mesuraient pas plus de deux cent vingt à deux cent trente toises par jour, et encore, par certains temps défavorables, lorsque le vent était trop violent et pouvait compromettre l'immobilité des appareils, on suspendait l'opération.

Chaque jour, lorsque le soir arrivait, environ trois quarts d'heure avant que le défaut de lumière eût rendu impossible la lecture des verniers, les savants suspendaient leur travail, et prenaient les précautions suivantes, afin de le recommencer le lendemain matin. La règle portant le numéro 1 était présentée d'une façon provisoire, et l'on marquait sur le sol le point où elle devait aboutir. A ce point, on faisait un trou dans lequel était enfoncé un pieu sur lequel une plaque de plomb était attachée. On replaçait alors la règle numéro 1 dans sa position définitive, après en avoir observé l'inclinaison, la variation thermométrique et la direction : on notait l'allongement mesuré par la règle numéro 4 : puis, au moyen d'un fil à plomb tangent à l'extrémité antérieure de la règle numéro 1, on faisait une marque sur la plaque du piquet. Sur ce point, deux lignes se coupant à angle droit, l'une dans le sens de la base, l'autre dans le sens de la perpendiculaire, étaient tracées avec soin. Puis, la plaque de plomb ayant été recouverte d'une calotte de bois, le trou était rebouché et le pieu enterré jusqu'au lendemain. De la sorte, un accident quelconque pouvait déranger les appareils pendant la nuit, sans qu'il fût nécessaire de recommencer l'opération entièrement.

Le lendemain, la plaque étant découverte, on replaçait la première règle dans la même position que la veille, au moyen du fil à plomb, dont la pointe devait tomber exactement sur le point tracé par les deux lignes.

Telle fut la série des opérations qui furent poursuivies pendant trente-huit jours sur cette plaine si favorablement nivelée. Tous les chiffres furent écrits en double, vérifiés, collationnés, approuvés par tous les membres de la commission.

Peu de discussions se produisirent entre le colonel Everest et son collègue russe. Quelques chiffres, lus au vernier, et qui accusaient des quatre cent millièmes de toise, donnèrent lieu parfois à un échange de paroles aigres-douces. Mais la majorité étant appelée à se prononcer, son opinion faisait loi, et il fallait se courber devant elle.

Une seule question amena entre les deux rivaux des reparties plus que vives, qui nécessitèrent l'intervention de sir John Murray. Ce fut la question de la longueur à donner à la base du premier triangle. Il était certain que plus cette base serait longue, plus l'angle formant le sommet du premier triangle serait facile à mesurer puisqu'il serait plus ouvert. Cependant, cette longueur ne pouvait se prolonger indéfiniment. Le colonel Everest proposait une base longue de six mille toises, à peu près égale à la base directement mesurée sur la route de Melun. Mathieu Strux voulait prolonger cette mesure jusqu'à dix mille toises, puisque le terrain s'y prêtait.

Sur cette question, le colonel Everest se montra intraitable. Mathieu Strux semblait également décidé à ne pas céder. Après les arguments plus ou moins plausibles, les personnalités furent engagées. La question de nationalité menaça de surgir à un certain moment. Ce n'étaient plus deux savants, c'étaient un Anglais et un Russe en présence l'un de l'autre. Fort heureusement, ce débat fut arrêté par suite d'un mauvais temps qui dura quelques jours ; les esprits se calmèrent et il fut décidé à la majorité que la mesure de la base serait définitivement arrêtée à huit mille mètres environ, ce qui partagea le différend par moitié.

Bref, l'opération fut menée à bien et conduite avec une extrême précision. Quant à la rigueur mathématique, on devait la contrôler plus tard en mesurant une nouvelle base à l'extrémité septentrionale de la méridienne.

En somme, cette base, directement mesurée, donna comme résultat huit mille trente-sept toises et soixante-quinze centièmes, et sur elle allait s'appuyer la série des triangles dont le réseau devait couvrir l'Afrique australe sur un espace de plusieurs degrés.

VIII
Le vingt-quatrième méridien

La mesure de la base avait demandé un travail de trente-huit jours. Commencée le 6 mars, elle ne fut terminée que le 13 avril. Sans perdre un instant, les chefs de l'expédition résolurent d'entreprendre immédiatement la série des triangles.

Tout d'abord, il s'agit de relever la latitude du point sud auquel commencerait l'arc de méridien qu'il s'agissait de mesurer. Pareille opération devait être renouvelée au point terminal de l'arc dans le nord, et par la différence des latitudes on devait connaître le nombre de degrés de l'arc mesuré.

Dès le 14 avril, les observations les plus précises furent faites dans le but de déterminer la latitude du lieu. Déjà, pendant les nuits précédentes, lorsque l'opération de la base était suspendue, William Emery et Michel Zorn avaient obtenu de nombreuses hauteurs d'étoiles au moyen d'un cercle répétiteur de Fortin. Ces jeunes gens

avaient observé avec une précision telle, que la limite des écarts extrêmes des observations ne fut même pas de deux secondes sexagésimales, écarts dus probablement aux variétés des réfractions produites par le changement de figure des couches atmosphériques.

De ces observations si minutieusement répétées, on put déduire avec une approximation plus que suffisante la latitude du point austral de l'arc.

Cette latitude était, en degrés décimaux, de 27.951789.

La latitude ayant été ainsi obtenue, on calcula la longitude, et le point fut reporté sur une excellente carte de l'Afrique australe, établie sur une grande échelle. Cette carte reproduisait les découvertes géographiques faites récemment dans cette partie du continent africain, les routes des voyageurs ou naturalistes, tels que Livingstone, Anderson, Magyar, Baldwin, Vaillant, Burchell, Lichteinstein. Il s'agissait de choisir sur cette carte le méridien dont on devait mesurer un arc entre deux stations assez éloignées l'une de l'autre de plusieurs degrés. On comprend, en effet, que plus l'arc mesuré sera long, plus l'influence des erreurs possibles dans la détermination des latitudes sera atténuée. Celui qui s'étend de Dunkerque à Formentera comprenait près de dix degrés du méridien de Paris, soit exactement 9° 56'.

Or, dans la triangulation anglo-russe qui allait être entreprise, le choix du méridien devait être fait avec une extrême circonspection. Il fallait ne point se heurter à des obstacles naturels, tels que montagnes infranchissables, vastes étendues d'eau, qui eussent arrêté la marche des observateurs. Fort heureusement, cette portion de l'Afrique australe semblait se prêter merveilleusement à une opération de ce genre. Les soulèvements du sol s'y tenaient dans une proportion modeste. Les cours d'eau étaient peu nombreux et facilement praticables. On pouvait se heurter à des dangers, non à des obstacles.

Cette partie de l'Afrique australe est occupée, en effet,

par le désert de Kalahari, vaste terrain qui s'étend depuis la rivière d'Orange jusqu'au lac Ngami, entre le vingtième et le vingt-neuvième parallèle méridionaux. Sa largeur comprend l'espace contenu entre l'Atlantique à l'ouest, et le vingt-cinquième méridien à l'est de Greenwich. C'est sur ce méridien que s'éleva, en 1849, le docteur Livingstone, en suivant la limite orientale du désert, lorsqu'il s'avança jusqu'au lac Ngami et aux chutes de Zambèse. Quant au désert lui-même, il ne mérite point ce nom à proprement parler. Ce ne sont plus les plaines du Sahara, comme on serait tenté de le croire, plaines sablonneuses, dépourvues de végétation, que leur aridité rend à peu près infranchissables. Le Kalahari produit une grande quantité de plantes ; son sol est recouvert d'herbes abondantes ; il possède des fourrés épais et des forêts de grands arbres ; les animaux y pullulent, gibier sauvage et fauves redoutables ; il est habité ou parcouru par des tribus sédentaires ou nomades de Bushmen et de Bakalaharis. Mais l'eau manque à ce désert pendant la plus grande partie de l'année ; les nombreux lits de rios qui le coupent sont alors desséchés, et la sécheresse du sol est le véritable obstacle à l'exploration de cette partie de l'Afrique. Toutefois, à cette époque, la saison des pluies venait à peine de finir, et on pouvait encore compter sur d'importantes réserves d'eau stagnante, conservée dans les mares, les étangs ou les ruisseaux.

Tels furent les renseignements donnés par le chasseur Mokoum. Il connaissait ce Kalahari pour l'avoir maintes fois fréquenté, soit comme chasseur pour son propre compte, soit comme guide attaché à quelque exploration géographique. Le colonel Everest et Mathieu Strux furent d'accord sur ce point, que ce vaste emplacement présentait toutes les conditions favorables à une bonne triangulation.

Restait à choisir le méridien sur lequel on devait mesurer un arc de plusieurs degrés. Ce méridien pourrait-il être pris à l'une des extrémités de la base, ce qui éviterait de relier cette base à un autre point du Kalahari par une série de triangles auxiliaires[1] ?

Cette circonstance fut soigneusement examinée, et, après discussion, on reconnut que l'extrémité sud de la base pouvait servir de point de départ. Ce méridien était le vingt-quatrième à l'est de Greenwich : il se prolongeait sur un espace d'au moins sept degrés, du vingtième au vingt-septième sans rencontrer d'obstacles naturels, ou, tout au moins, la carte n'en signalait aucun. Vers le nord

---

1. Afin de faire mieux comprendre à ceux de nos lecteurs qui ne sont pas suffisamment familiarisés avec la géométrie, ce qu'est cette opération géodésique qu'on appelle une triangulation, nous empruntons les lignes suivantes aux *Leçons nouvelles de Cosmographie* de M. H. Garcet, professeur de mathématiques au lycée Henri-IV. A l'aide de la figure ci-jointe, ce curieux travail sera facilement compris :

« Soit A B l'arc du méridien dont il s'agit de trouver la longueur. On mesure avec le plus grand soin une base A C, allant de l'extrémité A du méridien à une première station C. Puis on choisit, de part et d'autre de la méridienne, d'autres stations D. E, F, G, H, I, etc., de chacune desquelles on puisse voir les stations voisines, et l'on mesure au théodolite les angles de chacun des triangles A C D, C D E, E D F, etc., qu'elles forment entre elles. Cette première opération permet de résoudre ces divers triangles : car, dans le premier on connaît A C et les angles, et l'on peut calculer le côté C D ; dans le deuxième, on connaît C D et les angles, et l'on peut calculer le côté D E : dans le troisième, on connaît D E et les angles, et l'on peut calculer le côté E F, et ainsi de suite. Puis on détermine en A la direction de la méridienne par le procédé ordinaire, et l'on mesure l'angle M A C que cette direction fait avec la base A C : on connaît donc dans le triangle A C M le côté A C et les angles adjacents, et l'on peut *calculer* le premier tronçon A M de la méridienne. On calcule en même temps l'angle M et le côté C M : on connaît donc dans le triangle M D N le côté D M = C D − C M et les angles adjacents, et l'on peut *calculer* le deuxième tronçon M N de la méridienne, l'angle N et le côté D N. On connaît donc dans le triangle N E P le côté E N = D E − D N, et les angles adjacents, et l'on peut *calculer* le troisième tronçon N P de la méridienne, et ainsi de suite. On comprend que l'on pourra ainsi déterminer par partie la longueur de l'arc total A B. »

seulement, il traversait le lac Ngami dans sa portion orientale, mais ce n'était point là un empêchement insurmontable, et Arago avait éprouvé des difficultés bien autrement grandes, lorsqu'il joignit géodésiquement la côte d'Espagne aux îles Baléares.

Il fut donc décidé que l'arc à mesurer serait pris sur le vingt-quatrième méridien, qui, prolongé en Europe, donnerait la facilité de mesurer un arc septentrional sur le territoire même de l'empire russe.

Les opérations commencèrent aussitôt, et les astronomes s'occupèrent de choisir la station à laquelle devait aboutir le sommet du premier triangle, qui aurait pour base la base mesurée directement.

La première station fut choisie vers la droite de la méridienne. C'était un arbre isolé, situé à une distance de dix milles environ, sur une extumescence du sol. Il était parfaitement visible, et de l'extrémité sud-est de la base et de son extrémité nord-ouest, points auxquels le colonel Everest fit élever deux pylônes. Son sommet effilé permettait de le relever avec une extrême précision.

Les astronomes s'occupèrent d'abord de mesurer l'angle que faisait cet arbre avec l'extrémité sud-est de la base. Cet angle fut mesuré au moyen d'un cercle répétiteur de Borda, disposé pour les observations géodésiques. Les deux lunettes de l'instrument étaient placées de telle façon que leurs axes optiques fussent exactement dans le plan du cercle ; l'une visait l'extrémité nord-ouest de la base, et l'autre, l'arbre isolé choisi dans le nord-est ; elles indiquaient ainsi, par leur écartement, la distance angulaire qui séparait ces deux stations. Inutile d'ajouter que cet admirable instrument, construit avec une extrême perfection, permettait aux observateurs de diminuer autant qu'ils le voulaient les erreurs d'observation. Et en effet, par la méthode de la répétition, ces erreurs, quand les répétitions sont nombreuses, tendent à se compenser et à se détruire mutuellement. Quant aux

verniers, aux niveaux, aux fils à plomb destinés à assurer la pose régulière de l'appareil, ils ne laissaient rien à désirer. La commission anglo-russe possédait quatre cercles répétiteurs. Deux devaient servir aux observations géodésiques, telles que le relèvement des angles qui devaient être mesurés ; les deux autres, dont les cercles étaient placés dans une position verticale, permettaient, au moyen d'horizons artificiels, d'obtenir des distances zénithales, et par conséquent de calculer, même dans une seule nuit, la latitude d'une station avec l'approximation d'une petite fraction de seconde. En effet, dans cette grande opération de triangulation, il fallait non seulement obtenir la valeur des angles qui formaient les triangles géodésiques, mais aussi mesurer à de certains intervalles la hauteur méridienne des étoiles, hauteur égale à la latitude de chaque station.

Le travail fut commencé dans la journée du 14 avril. Le colonel Everest, Michel Zorn et Nicolas Palander calculèrent l'angle que l'extrémité sud-est de la base faisait avec l'arbre, tandis que Mathieu Strux, William Emery et sir John Murray, se portant à l'extrémité nord-ouest, mesurèrent l'angle que cette extrémité faisait avec le même arbre.

Pendant ce temps, le camp était levé, les bœufs étaient attelés, et la caravane, sous la direction du bushman, se dirigeait vers la première station qui devait servir de lieu de halte. Deux caamas et leurs conducteurs, affectés au transport des instruments, accompagnaient les observateurs.

Le temps était assez clair et se prêtait à l'opération. Il avait été décidé, d'ailleurs, que si l'atmosphère venait à gêner les relèvements, les observations seraient faites pendant la nuit au moyen de réverbères ou de lampes électriques, dont la commission était munie.

Pendant cette première journée, les deux angles ayant été mesurés, le résultat des mesures fut porté sur le double registre, après avoir été soigneusement collationné. Lorsque le soir arriva, tous les astronomes étaient réunis avec la caravane autour de l'arbre qui avait servi de mire.

C'était un énorme baobab dont la circonférence mesurait plus de quatre-vingts pieds[1]. Son écorce, couleur de syénite, lui donnait un aspect particulier. Sous l'immense ramure de ce géant, peuplé d'un monde d'écureuils très friands de ses fruits ovoïdes à pulpe blanche, toute la caravane put trouver place, et le repas fut préparé pour les Européens par le cuisinier de la chaloupe, auquel la venaison ne manqua pas. Les chasseurs de la troupe avaient battu les environs et tué un certain nombre d'antilopes. Bientôt, l'odeur des grillades fumantes emplit l'atmosphère et sollicita l'appétit des observateurs qui n'avait pas besoin d'être excité.

Après ce repas réconfortant, les astronomes se retirèrent dans leur chariot spécial, tandis que Mokoum établissait des sentinelles sur la lisière du campement. De grands feux, dont les branches mortes du gigantesque baobab firent les frais, demeurèrent allumés toute la nuit, et contribuèrent à tenir à une respectueuse distance les bêtes fauves qu'attirait l'odeur de la chair saignante.

Cependant, après deux heures de sommeil, Michel Zorn et William Emery se relevèrent. Leur travail d'observateurs n'était pas terminé. Ils voulaient calculer la latitude de cette station par l'observation de hauteurs d'étoiles. Tous les deux, sans se soucier des fatigues du jour, ils s'installèrent aux lunettes de leur instrument, et tandis que le rire des hyènes et le rugissement des lions retentissaient dans la sombre plaine, ils déterminèrent rigoureusement le déplacement que le zénith avait subi en passant de la première station à la seconde.

---

1. Adanson a mesuré dans l'Afrique occidentale des baobabs qui ont jusqu'à 26 mètres de circonférence.

IX
Un kraal

Le lendemain, 25 avril, les opérations géodésiques furent continuées sans interruption. L'angle que faisait la station du baobab avec les deux extrémités de la base indiquées par les pylônes, fut mesuré avec précision. Ce nouveau relèvement permettait de contrôler le premier triangle. Puis, cela fait, deux autres stations furent choisies à droite et à gauche de la méridienne[1], l'une formée par un monticule très apparent qui s'élevait à six milles dans la plaine, l'autre jalonnée au moyen d'un poteau indicateur à une distance de sept milles environ.

La triangulation se poursuivit ainsi sans encombre pendant un mois. Au 15 mai, les observateurs s'étaient élevés d'un degré vers le nord, après avoir construit géodésiquement sept triangles.

Le colonel Everest et Mathieu Strux, pendant cette première série d'opérations, s'étaient rarement trouvés en rapport l'un avec l'autre. On a vu que dans la distribution du travail et pour le contrôle même des mesures, les deux savants étaient séparés. Ils opéraient quotidiennement en des stations distantes de plusieurs milles, et cette distance était une garantie contre toute dispute d'amour-propre. Le soir venu, chacun rentrait au campe-

_____
1. Stations qui correspondraient aux points F et E de la figure, page 84.

ment et regagnait son habitation particulière. Quelques discussions, il est vrai, s'élevèrent à plusieurs reprises sur le choix des stations qui devait être décidé en commun : mais elles n'amenèrent pas d'altercations sérieuses. Michel Zorn et son ami William pouvaient donc espérer que, grâce à la séparation des deux rivaux, les opérations géodésiques se poursuivraient sans amener un éclat regrettable.

Ce 15 mai, les observateurs, ainsi que cela a été dit, s'étant élevés d'un degré depuis le point austral de la méridienne, se trouvaient sur le parallèle de Lattakou. La bourgade africaine était située à trente-cinq milles dans l'est de leur station.

Un vaste kraal avait été récemment établi en cet endroit. C'était un lieu de halte tout indiqué, et sur la proposition de sir John Murray, il fut décidé que l'expédition s'y reposerait pendant quelques jours. Michel Zorn et William Emery devaient profiter de ce temps d'arrêt pour prendre des hauteurs du soleil. Durant cette halte, Nicolas Palander s'occuperait des réductions à faire dans les mesures, pour les différences de niveau des mires, de manière à ramener toutes ces mesures au niveau de la mer. Quant à sir John Murray, il voulait se délasser de ses observations scientifiques, en étudiant, à coups de fusil, la faune de cette région.

Les indigènes de l'Afrique australe appellent « kraal », une sorte de village mobile, de bourgade ambulante qui se transporte d'un pâturage à un autre. C'est un enclos, composé d'une trentaine d'habitations environ, et que peuplent plusieurs centaines d'habitants.

Le kraal, atteint par l'expédition anglo-russe, formait une importante agglomération de huttes, circulairement disposées sur les rives d'un ruisseau, affluent du Kuruman. Ces huttes, faites de nattes appliquées sur des montants en bois, nattes tissées de joncs et imperméables, ressemblaient à des ruches basses, dont l'entrée, fermée d'une peau, obligeait l'habitant ou le visiteur à ramper sur les genoux. Par cette unique ouverture sortait en tourbillons l'âcre fumée du foyer intérieur, qui devait rendre l'habitabilité de ces huttes fort problématique pour tout autre qu'un Boschjesman ou un Hottentot.

A l'arrivée de la caravane, toute cette population fut en mouvement. Les chiens, attachés à la garde de chaque cabane, aboyèrent avec fureur. Les guerriers du village, armés d'assagaies, de couteaux, de massues, et protégés sous leur bouclier de cuir, se portèrent en avant. Leur nombre pouvait être estimé à deux cents, et indiquait l'importance de ce kraal qui ne devait pas compter moins de soixante à quatre-vingts maisons ; enfermées dans une haie palissadée et garnie d'agaves épineux longs de cinq à six pieds, ces cases étaient à l'abri des animaux féroces.

Cependant, les dispositions belliqueuses des indigènes s'effacèrent promptement, dès que le chasseur Mokoum eut dit quelques mots à l'un des chefs du kraal. La caravane obtint la mission de camper près des palissades, sur les rives mêmes du ruisseau. Les Boschjesmen ne songèrent même pas à lui disputer sa part des pâturages qui s'étendaient de part et d'autre sur une distance de plusieurs milles. Les chevaux, les bœufs et autres ruminants de l'expédition pouvaient s'y nourrir abondamment sans causer aucun préjudice à la bourgade ambulante.

Aussitôt, sous les ordres et la direction du bushman, le campement fut organisé suivant la méthode habituelle. Les chariots se groupèrent circulairement, et chacun vaqua à ses propres occupations.

Sir John Murray, laissant alors ses compagnons à leurs calculs et à leurs observations scientifiques, partit, sans perdre une heure, en compagnie de Mokoum. Le chasseur anglais montait son cheval ordinaire, et Mokoum, son zèbre domestique. Trois chiens suivaient en gambadant. Sir John Murray et Mokoum étaient armés chacun d'une carabine de chasse, à balle explosive, ce qui dénotait de leur part l'intention de s'attaquer aux fauves de la contrée.

Les deux chasseurs se dirigèrent dans le nord-est, vers une région boisée, située à une distance de quelques milles du kraal. Tous deux chevauchaient l'un près de l'autre et causaient.

« J'espère, maître Mokoum, dit sir John Murray, que vous tiendrez ici la promesse que vous m'avez faite aux chutes de Morgheda, de me conduire au milieu de la contrée la plus giboyeuse du monde. Mais sachez bien que je ne suis pas venu dans l'Afrique australe pour tirer des lièvres ou forcer des renards. Nous avons cela dans nos highlands de l'Écosse. Avant une heure, je veux avoir jeté à terre...

— Avant une heure ! répondit le bushman. Votre Honneur me permettra de lui dire que c'est aller un peu vite, et qu'avant tout, il faut être patient. Moi, je ne suis patient qu'à la chasse, et je rachète dans ces circonstances toutes les autres impatiences de ma vie. Ignorez-vous donc, sir John, que chasser la grosse bête, c'est toute une science, qu'il faut apprendre soigneusement le pays, connaître les mœurs des animaux, étudier leurs passages, puis les tourner pendant de longues heures de façon à les approcher sous le vent ? Savez-vous qu'il ne faut se permettre ni un cri intempestif, ni un faux pas bruyant, ni un coup d'œil indiscret ! Moi, je suis resté des journées entières à guetter un buffle ou un gemsbok, et quand après trente-six heures de ruses, de patience, j'avais abattu la bête, je ne croyais pas avoir perdu mon temps.

— Fort bien, mon ami, répondit sir John Murray, je mettrai à votre service autant de patience que vous en demanderez : mais n'oublions pas que cette halte ne durera que trois ou quatre jours, et qu'il ne faut perdre ni une heure ni une minute !

— C'est une considération, répondit le bushman d'un ton si calme que William Emery n'aurait pu reconnaître son compagnon de voyage au fleuve Orange, c'est une considération. Nous tuerons ce qui se présentera, sir John, nous ne choisirons pas. Antilope ou daim, gnou ou gazelle, tout sera bon pour des chasseurs si pressés !

— Antilope ou gazelle ! s'écria sir John Murray, je n'en demande pas tant pour mon début sur la terre africaine. Mais qu'espérez-vous donc m'offrir, mon brave bushman ? »

Le chasseur regarda son compagnon d'un air singulier, puis, d'un ton ironique :

« Du moment que Votre Honneur se déclarera satisfait, répondit-il, je n'aurai plus rien à dire. Je croyais qu'il ne me tiendrait pas quitte à moins d'une couple de rhinocéros ou d'une paire d'éléphants ?...

— Chasseur, répliqua sir John Murray, j'irai où vous me conduirez. Je tuerai ce que vous me direz de tuer. Ainsi, en avant, et ne perdons pas notre temps en paroles inutiles. »

Les chevaux furent mis au petit galop, et les deux chasseurs s'avancèrent rapidement vers la forêt.

La plaine qu'ils traversaient remontait en pente douce vers le nord-est. Elle était semée çà et là de buissons innombrables, alors en pleine floraison, et desquels s'écoulait une résine visqueuse, transparente, parfumée, dont les colons font un baume pour les blessures. Par bouquets pittoresquement groupés s'élevaient des « nwanas », sortes de figuiers-sycomores, dont le tronc, nu jusqu'à une hauteur de trente à quarante pieds, supportait un vaste parasol de verdure. Dans cet épais feuillage caquetait un monde de perroquets criards, très empressés à becqueter les figues aigrelettes du sycomore. Plus loin, c'étaient des mimosas à grappes jaunes, des « arbres d'argent » qui secouaient leurs touffes soyeuses, des aloès aux longs épis d'un rouge vif, qu'on eût pris pour

des arborescences coralligènes arrachées du fond des mers. Le sol, émaillé de charmantes amaryllis à feuillage bleuâtre, se prêtait à la marche rapide des chevaux. Moins d'une heure après avoir quitté le kraal, sir John Murray et Mokoum arrivaient à la lisière de la forêt. C'était une haute futaie d'acacias qui s'étendait sur un espace de plusieurs milles carrés. Ces arbres innombrables, confusément plantés, enchevêtraient leurs ramures, et ne laissaient pas les rayons du soleil arriver jusqu'au sol, embarrassé d'épines et de longues herbes. Cependant le zèbre de Mokoum et le cheval de sir John n'hésitèrent pas à s'aventurer sous cette épaisse voûte et se frayèrent un chemin entre les troncs irrégulièrement espacés. Çà et là, quelques larges clairières se développaient au milieu du taillis, et les chasseurs s'y arrêtaient pour observer les fourrés environnants.

Il faut dire que cette première journée ne fut pas favorable à Son Honneur. En vain son compagnon et lui parcoururent-ils une vaste portion de la forêt. Aucun échantillon de la faune africaine ne se dérangea pour les recevoir, et sir John songea plus d'une fois à ses plaines écossaises sur lesquelles un coup de fusil ne se faisait pas attendre. Peut-être le voisinage du kraal avait-il contribué à éloigner le gibier soupçonneux. Quant à Mokoum, il ne montrait ni surprise ni dépit. Pour lui cette chasse n'était pas une chasse, mais une course précipitée à travers la forêt.

Vers six heures du soir, il fallut songer à revenir au camp. Sir John Murray était très vexé, sans vouloir en convenir : un chasseur émérite revenir « bredouille » ! jamais ! Il se promit donc de tirer le premier animal, quel qu'il fût, oiseau ou quadrupède, gibier ou fauve, qui passerait à portée de son fusil.

Le sort sembla le favoriser. Les deux chasseurs ne se trouvaient pas à trois milles du kraal, quand un rongeur, de cette espèce africaine désignée sous le nom de « lepus rupestris », un lièvre en un mot, s'élança d'un buisson à cent cinquante pas de sir John. Sir John n'hésita pas, et envoya à l'inoffensif animal une balle de sa carabine.

Le bushman poussa un cri d'indignation. Une balle à un simple lièvre dont on aurait eu raison avec « du six » ! Mais le chasseur anglais tenait à son rongeur, et il courut au galop vers l'endroit où la bête avait dû tomber.

Course inutile ! De ce lièvre nulle trace ; un peu de sang sur le sol, mais pas un poil. Sir John cherchait sous les buissons, parmi les touffes d'herbe. Les chiens furetaient vainement à travers les broussailles.

« Je l'ai pourtant touché ! s'écriait sir John.

— Trop touché ! répondit tranquillement le bushman. Quand on tire un lièvre avec une balle explosive, il serait étonnant qu'on en retrouvât une parcelle ! »

Et en effet, le lièvre s'était dispersé en morceaux impalpables ! Son Honneur, absolument dépité, remonta sur son cheval, et, sans ajouter un mot, il regagna le campement.

Le lendemain, le bushman s'attendait à ce que sir John Murray lui fît de nouvelles propositions de chasse. Mais l'Anglais, très éprouvé dans son amour-propre, évita de se rencontrer avec Mokoum. Il parut oublier tout projet cynégétique, et s'occupa de vérifier les instruments et de faire des observations. Puis, par délassement, il visita le kraal boschjesman, regardant les hommes s'exercer au maniement de l'arc, ou jouer du « gorah », sorte d'instrument composé d'un boyau tendu sur un arc, et que l'artiste met en vibration en soufflant à travers une plume d'autruche. Pendant ce temps, les femmes vaquaient aux travaux du ménage, en fumant le « matokouané », c'est-à-dire la plante malsaine du chanvre, distraction partagée par le plus grand nombre des indigènes. Suivant l'observation de certains voyageurs, cette inhalation du chanvre augmente la force physique au détriment de l'énergie morale. Et, en effet, plusieurs de ces Boschjesmen paraissaient comme hébétés par l'ivresse du matokouané.

Le lendemain, 17 mai, sir John Murray, au petit jour, fut réveillé par cette simple phrase prononcée à son oreille :

« Je crois, Votre Honneur, que nous serons plus heureux aujourd'hui. Mais ne tirons plus les lièvres avec des obusiers de montagnes ! »

Sir John Murray ne broncha pas en entendant cette recommandation ironique, et il se déclara prêt à partir. Les deux chasseurs s'éloignèrent de quelques milles sur la gauche du campement, avant même que leurs compagnons ne fussent éveillés. Sir John portait cette fois un simple fusil, arme admirable de F. Goldwin, et véritablement plus convenable pour une simple chasse au daim ou à l'antilope, que la terrible carabine. Il est vrai que les pachydermes et les carnivores pouvaient se rencontrer par la plaine. Mais sir John avait sur le cœur « l'explosion » du lièvre, et il eût mieux aimé tirer un lion avec de la grenaille que de recommencer un pareil coup sans précédent dans les annales du sport.

Ce jour-là, ainsi que l'avait prévu Mokoum, la fortune favorisa les deux chasseurs. Ils abattirent un couple d'« harrisbucks », sortes d'antilopes noires, très rares et difficiles à tuer. C'étaient de charmantes bêtes, hautes de quatre pieds, aux longues cornes divergentes et élégamment arrondies en forme de cimeterre. Leur mufle était aminci et comprimé latéralement, leur sabot noir, leur poil serré et doux, leurs oreilles étroites et pointues. Leur ventre et leur face, blancs comme la neige, contrastaient avec le pelage noir de leur dos, que caressait une ondoyante crinière. Des chasseurs pouvaient se montrer fiers d'un pareil coup, car l'harrisbuck a toujours été le *desideratum* des Delegorgue, des Valhberg, des Cumming, des Baldwin, et c'est aussi l'un des plus admirables spécimens de la faune australe.

Mais ce qui fit battre le cœur du chasseur anglais, ce furent certaines traces que le bushman lui montra sur la lisière d'un épais taillis, non loin d'une vaste et profonde mare, entourée de gigantesques euphorbes, et dont la surface était toute constellée des corolles bleu ciel du lys d'eau.

« Monsieur, lui dit Mokoum, si demain, vers les premières heures du jour, Votre Honneur veut venir à l'affût en cet endroit, je lui conseillerai, cette fois, de ne point oublier sa carabine.

— Qui vous fait parler ainsi, Mokoum ? demanda sir John Murray.

— Ces empreintes fraîches que vous voyez sur la terre humide.

— Quoi ! ces larges traces sont des empreintes d'animaux ? Mais alors les pieds qui les ont faites ont plus d'une demi-toise de circonférence !

— Cela prouve tout simplement, répondit le bushman, que l'animal qui laisse de pareilles empreintes mesure au moins neuf pieds à la hauteur de l'épaule.

— Un éléphant ! s'écria sir John Murray.

— Oui, Votre Honneur, et, si je ne me trompe, un mâle adulte parvenu à toute sa croissance.

— A demain donc, bushman.

— A demain, Votre Honneur. »

Les deux chasseurs revinrent au campement, rapportant les « harrisbucks » qui avaient été chargés sur le cheval de sir John Murray. Ces belles antilopes, si rarement capturées, provoquèrent l'admiration de toute la caravane. Tous félicitèrent sir John, sauf peut-être le grave Mathieu Strux, qui, en fait d'animaux, ne connaissait guère que la Grande-Ourse, le Dragon, le Centaure, Pégase et autres constellations de la faune céleste.

Le lendemain, à quatre heures, les deux compagnons de chasse, immobiles sur leurs chevaux, les chiens à leur côté, attendaient au milieu d'un épais taillis l'arrivée de la troupe de pachydermes. A de nouvelles empreintes, ils avaient reconnu que les éléphants venaient par bandes se désaltérer à la mare. Tous deux étaient armés de carabines rayées à balles explosives. Ils observaient le taillis depuis une demi-heure environ, immobiles et silencieux, quand ils virent le sombre massif s'agiter à cinquante pas de la mare.

Sir John Murray avait saisi son fusil, mais le bushman lui retint la main et lui fit signe de modérer son impatience.

Bientôt, de grandes ombres apparurent. On entendait les fourrés s'ouvrir sous une pression irrésistible ; le bois craquait ; les broussailles écrasées crépitaient sur le sol ; un souffle bruyant passait à travers les ramures. C'était la troupe d'éléphants. Une demi-douzaine de ces gigantesques animaux, presque aussi gros que leurs congénères de l'Inde, s'avançaient d'un pas lent vers la mare.

Le jour qui se faisait peu à peu permit à sir John d'admirer ces puissants animaux. L'un d'eux, un mâle, de taille énorme, attira surtout son attention. Son large front convexe se développait entre de vastes oreilles qui lui pendaient jusqu'au-dessous de la poitrine. Ses dimensions colossales semblaient encore accrues par la pénombre. Cet éléphant projetait vivement sa trompe au-dessus du fourré, et frappait de ses défenses recourbées les gros troncs d'arbres qui gémissaient au choc. Peut-être l'animal pressentait-il un danger prochain.

Cependant, le bushman s'était penché à l'oreille de sir John Murray, et lui avait dit :

« Celui-là vous convient-il ? »

Sir John fit un signe affirmatif.

« Bien, ajouta Mokoum, nous le séparerons du reste de la troupe. »

En ce moment, les éléphants arrivèrent au bord de la mare. Leurs pieds spongieux s'enfoncèrent dans la vase molle. Ils puisaient l'eau avec leur trompe, et cette eau, versée dans leur large gosier, produisait un glouglou retentissant. Le grand mâle, sérieusement inquiet, regardait autour de lui et aspirait bruyamment l'air afin de saisir quelque émanation suspecte.

Soudain, le bushman fit entendre un cri particulier. Ses trois chiens, aboyant aussitôt avec vigueur, s'élancèrent hors du taillis et se précipitèrent vers la troupe des pachydermes. En même temps, Mokoum, après avoir dit à son compagnon ce seul mot : « Restez », enleva son zèbre, et franchit le buisson de manière à couper la retraite au grand mâle.

Ce magnifique animal, d'ailleurs, ne chercha pas à se dérober par la fuite. Sir John, le doigt sur la gâchette de son fusil, l'observait. L'éléphant battait les arbres de sa trompe, et remuait frénétiquement sa queue, donnant, non plus des signes d'inquiétude, mais des signes de colère. Jusqu'alors, il n'avait que senti l'ennemi. En ce moment, il l'aperçut et fondit sur lui.

Sir John Murray était alors posté à soixante pas de l'animal. Il attendit qu'il fut arrivé à quarante pas, et le visant au flanc, il fit feu. Mais un mouvement du cheval dérangea la justesse de son tir, et la balle ne traversa que des chairs molles sans rencontrer un obstacle suffisant pour éclater.

L'éléphant, furieux, précipita sa course, qui était plutôt une marche excessivement rapide qu'un galop. Mais cette marche eût suffi à distancer un cheval.

Le cheval de sir John, après s'être cabré, se jeta hors du taillis, sans que son maître pût le retenir. L'éléphant le poursuivait, dressant ses oreilles et faisant retentir sa trompe comme un appel de clairon. Le chasseur, emporté par sa monture, la serrant de ses jambes vigoureuses, cherchait à glisser une cartouche dans le tonnerre de son fusil.

Cependant, l'éléphant gagnait sur lui. Tous deux furent bientôt sur la plaine, hors de la lisière du bois. Sir John déchirait de ses éperons les flancs de son cheval qui s'emportait. Deux des chiens, aboyant à ses jambes, fuyaient à perdre haleine. L'éléphant n'était pas à deux longueurs en arrière. Sir John sentait son souffle bruyant, il entendait les sifflements de la trompe qui fouettait l'air. A chaque instant il s'attendait à être enlevé de sa selle par ce lasso vivant.

Tout à coup, le cheval plia de son arrière-train. La trompe, s'abattant, l'avait frappé à la croupe. L'animal poussa un hennissement de douleur, et fit un écart qui le jeta de côté. Cet écart sauva sir John d'une mort certaine. L'éléphant, emporté par sa vitesse, passa au-delà, mais sa trompe, balayant le sol, ramassa l'un des chiens qu'elle secoua dans l'air avec une indescriptible violence.

Sir John n'avait d'autre ressource que de rentrer sous bois. L'instinct de son cheval l'y portait aussi, et bientôt il en franchissait la lisière par un prodigieux élan.

L'éléphant, maître de lui, s'était remis à sa poursuite, brandissant le malheureux chien, dont il fracassa la tête contre le tronc d'un sycomore en se précipitant dans la forêt. Le cheval s'élança dans un épais fourré, entrelacé de lianes épineuses, et s'arrêta.

Sir John, déchiré, ensanglanté, mais n'ayant pas un instant perdu de son sang-froid, se retourna, et, épaulant avec soin sa carabine, il visa l'éléphant au défaut de l'épaule, à travers le réseau de lianes. La balle, rencontrant un os, fit explosion. L'animal chancela, et presque au même moment, un second coup de feu, tiré de la lisière du bois, l'atteignit au flanc gauche. Il tomba sur les genoux, près d'un petit étang à demi caché sous les herbes. Là, pompant l'eau avec sa trompe, il commença à arroser ses blessures, en poussant des cris plaintifs.

A ce moment apparut le bushman. « Il est à nous ! il est à nous ! » s'écria Mokoum.

En effet, l'énorme animal était mortellement blessé. Il poussait des gémissements plaintifs ; sa respiration sifflait ; sa queue ne s'agitait plus que faiblement, et sa trompe, puisant à la mare de sang formée par lui, déversait une pluie rouge sur les taillis voisins. Puis, la force lui manquant, il tomba sur les genoux, et mourut ainsi.

En ce moment, sir John Murray sortit du fourré d'épines. Il était à demi nu. De ses vêtements de chasse, il ne restait plus que des loques. Mais il eût payé de sa propre peau son triomphe de sporstman.

« Un fameux animal, bushman ! s'écria-t-il en examinant le cadavre de l'éléphant, un fameux animal, mais un peu trop lourd pour le carnier d'un chasseur !

— Bon ! Votre Honneur, répondit Mokoum. Nous allons le dépecer sur place et nous n'emporterons que les morceaux de choix. Voyez de quelles magnifiques défenses la nature l'a pourvu ! Elles pèsent au moins vingt-cinq livres chacune, et à cinq schellings la livre d'ivoire, cela fait une somme. »

Tout en parlant, le chasseur procédait au dépeçage de l'animal. Il coupa les défenses avec sa hache, et se contenta d'enlever les pieds et la trompe qui sont des morceaux de choix, dont il voulait régaler les membres de la commission scientifique. Cette opération lui demanda quelque temps, et son compagnon et lui ne furent pas de retour au campement avant midi.

Là, le bushman fit cuire les pieds du gigantesque animal suivant la mode africaine, en les enterrant dans un trou préalablement chauffé comme un four au moyen de charbons incandescents.

Il va sans dire que ce mets fut apprécié à sa juste valeur, même par l'indifférent Palander, et qu'il valut à sir John Murray les compliments de toute la troupe savante.

X
Le rapide

Pendant leur séjour au kraal des Boschjesmen, le colonel Everest et Mathieu Strux étaient restés absolument étrangers l'un à l'autre. Les observations de latitude avaient été faites sans leur concours. N'étant point obligés de se voir « scientifiquement », ils ne s'étaient point vus. La veille du départ, le colonel Everest avait tout simplement envoyé sa carte « P.P.C. » à l'astronome russe, et avait reçu la carte de Mathieu Strux avec la même formule.

Le 19 mai, toute la caravane leva le camp, et reprit sa route vers le nord. Les angles adjacents à la base du huitième triangle, dont le sommet était formé sur la gauche de la méridienne, par un piton judicieusement choisi à une distance de six milles, avaient été mesurés. Il ne s'agissait donc plus que d'atteindre cette nouvelle station, afin de reprendre les opérations géodésiques.

Du 19 au 29 mai, la contrée fut rattachée à la méridienne par deux triangles nouveaux. Toutes les précautions avaient été prises dans le but d'obtenir une précision mathématique. L'opération marchait à souhait et jusqu'alors, les difficultés n'avaient pas été grandes. Le temps était resté favorable aux observations de jour, et le sol ne présentait aucun obstacle insurmontable. Peut-être même, par sa planité, ne se prêtait-il pas absolument aux mesures des angles. C'était comme un désert de verdure, coupé de ruisseaux qui coulaient entre des rangées de « karrée-hout », sorte d'arbres, qui, par la disposition de leur feuillage, ressemblent au saule, et dont les Boschjesmen emploient les branches à la fabrication de leurs arcs. Ce terrain, semé de fragments de roches décomposées, mêlé d'argile, de sable et de parcelles ferrugineuses, offrait en certains endroits des symptômes d'une grande aridité. Là, toute trace d'humidité disparaissait, et la flore ne se composait plus que de certaines plantes mucilagineuses qui résistent à la plus extrême sécheresse. Mais, pendant des milles entiers, cette région ne présentait aucune extumescence qui pût être choisie pour station naturelle. Il fallait alors élever soit des poteaux indicateurs, soit des pylônes hauts de dix à douze mètres, qui pussent servir de mire. De là, une perte de temps plus ou moins considérable, qui retardait la marche de la triangulation. L'observation faite, il fallait alors démonter le pylône et le reporter à quelques milles de là afin d'y former le sommet d'un nouveau triangle. Mais, en somme, cette manœuvre se faisait sans difficulté. L'équipe de la *Queen and Tzar*, préposée à ce genre de travail, s'acquittait lestement de sa tâche. Ces gens, bien instruits, opéraient rapidement, et il n'y aurait eu qu'à les louer de leur adresse, si des questions d'amour-propre national n'eussent souvent semé la discorde entre eux.

En effet, cette impardonnable jalousie qui divisait leurs chefs, le colonel Everest et Mathieu Strux, excitait parfois ces marins les uns contre les autres. Michel Zorn et William Emery employaient toute leur sagesse, toute leur prudence, à combattre ces tendances fâcheuses ; mais ils n'y réussissaient pas toujours. De là, des discussions, qui, de la part de gens à demi grossiers, pouvaient dégénérer en agressions déplorables. Le colonel et le savant russe intervenaient alors, mais de manière à envenimer les choses, chacun d'eux prenant invariablement parti pour ses nationaux, et les soutenant quand même, de quelque côté que fussent les torts. Des subordonnés, la discussion montait ainsi jusqu'aux supérieurs et s'accroissait « proportionnellement aux masses » disait Michel Zorn. Deux mois après le départ de Lattakou, il n'y avait plus que les deux jeunes gens qui eussent conservé entre eux le bon accord si nécessaire à la réussite de l'entreprise. Sir John Murray et Nicolas Palander, eux-mêmes, si absorbés qu'ils fussent, celui-ci par ses calculs, celui-là par ses aventures de chasse, commençaient à se mêler à ces discussions intestines. Bref, un certain jour, la dispute fut assez vive pour que Mathieu Strux crût devoir dire au colonel Everest :

« Prenez-le de moins haut, monsieur, avec des astronomes qui appartiennent à cet observatoire de Poulkowa, dont la puissante lunette a permis de reconnaître que le disque d'Uranus est parfaitement circulaire ! »

A quoi le colonel Everest répondit qu'on avait le droit de le prendre de plus haut encore, quand on avait l'honneur d'appartenir à l'observatoire de Cambridge, dont la puissante lunette avait permis de classer parmi les nébuleuses irrégulières la nébuleuse d'Andromède !

Puis, Mathieu Strux ayant poussé les personnalités jusqu'à dire que la lunette de Poulkowa, avec son objectif de quatorze pouces, rendait visibles les étoiles de treizième grandeur, le colonel Everest répliqua vertement que l'objectif de la lunette de Cambridge mesurait quatorze pouces tout comme la sienne, et que, dans la nuit du 31 janvier 1862, elle avait enfin découvert le mystérieux satellite qui cause les perturbations de Sirius !

Quand des savants en arrivent à se dire de telles personnalités, on comprend bien qu'aucun rapprochement n'est plus possible. Il était donc à craindre que l'avenir de la triangulation ne fût bientôt compromis par cette incurable rivalité.

Très heureusement, jusqu'ici du moins, les discussions n'avaient touché qu'à des systèmes ou à des faits étrangers aux opérations géodésiques. Quelquefois les mesures relevées au théodolite ou au moyen du cercle répétiteur étaient débattues, mais, loin de les troubler, ce débat ne faisait au contraire qu'en déterminer plus rigoureusement l'exactitude. Quant au choix des stations, il n'avait jusqu'ici donné lieu à aucun désaccord.

Le 30 mai, le temps, jusque-là clair et par conséquent favorable aux observations, changea presque subitement. En toute autre région, on eût prédit à coup sûr quelque orage, accompagné de pluies torrentielles. Le ciel se couvrit de nuages d'un mauvais aspect. Quelques éclairs sans tonnerre apparurent un instant dans la masse des vapeurs. Mais la condensation ne se fit pas entre les couches supérieures de l'air, et le sol, alors très sec, ne reçut pas une goutte d'eau. Seulement, le ciel demeura embrumé pendant quelques jours. Ce brouillard intempestif ne pouvait que gêner les opérations. Les points de mire n'étaient plus visibles à un mille de distance.

Cependant, la commission anglo-russe, ne voulant pas perdre de temps, résolut d'établir des signaux de feu, afin d'opérer pendant la nuit. Seulement, sur le conseil du bushman, on dut prendre quelques précautions dans l'intérêt des observateurs. Et en effet, pendant la nuit, les bêtes fauves, attirées par l'éclat des lampes électriques, se rangeaient par troupes autour des stations. Les opérateurs entendaient alors les cris glapissants des chacals, et le rauque ricanement des hyènes, qui rappelle le rire particulier des Nègres ivres.

Pendant ces premières observations nocturnes, au centre d'un cercle bruyant d'animaux redoutables, parmi lesquels un rugissement formidable annonçait parfois la présence du lion, les astronomes se sentirent un peu distraits de leur travail. Les mesures furent moins rapidement conduites, sinon moins exactement. Ces yeux enflammés, fixés sur eux et perçant l'ombre épaisse, gênaient un peu les savants. Dans de telles conditions, prendre les distances au zénith des réverbères et leurs distances angulaires, demandait un extrême sang-froid, et une imperturbable possession de soi-même. Mais ces qualités ne manquèrent pas aux membres de la commission. Après quelques jours, ils avaient repris toute leur présence d'esprit, et opéraient au milieu des fauves aussi nettement que s'ils eussent été dans les tranquilles salles des observatoires. D'ailleurs, à chaque station, on adjoignait quelques chasseurs, armés de fusils, et un certain nombre d'hyènes trop audacieuses, tombèrent alors sous les balles européennes. Inutile d'ajouter que sir John Murray trouvait « adorable » cette manière de conduire une triangulation. Pendant que son œil était fixé à l'oculaire des lunettes, sa main tenait son Goldwing, et il fit plus d'une fois le coup de feu, entre deux observations zénithales.

Les opérations géodésiques ne furent donc pas interrompues par l'inclémence du temps. Leur précision n'en souffrit en aucune façon, et la mesure de la méridienne continua régulièrement à s'avancer vers le nord.

Aucun incident digne d'être relaté ne marqua la suite des travaux géodésiques depuis le 30 mai jusqu'au 17 juin. De nouveaux triangles furent établis au moyen de stations artificielles. Et avant la fin du mois, si quelque obstacle naturel n'arrêtait pas la marche des opérateurs, le colonel Everest et Mathieu Strux comptaient bien avoir mesuré un nouveau degré du vingt-quatrième méridien.

Le 17 juin, un cours d'eau assez large, affluent du fleuve Orange, coupa la route. Les membres de la commission scientifique n'étaient pas embarrassés de le traverser de leur personne. Ils possédaient un canot de caoutchouc, précisément destiné à franchir les fleuves ou les lacs de moyenne grandeur. Mais les chariots et le matériel de la caravane ne pouvaient passer ainsi. Il fallait chercher un gué soit en amont, soit en aval du cours d'eau.

Il fut donc décidé, malgré l'opinion de Mathieu Strux, que les Européens, munis de leurs instruments, traverseraient le fleuve, tandis que la caravane, sous la conduite de Mokoum, irait à quelques milles au-dessous prendre un passage guéable que le chasseur prétendait connaître.

Cet affluent de l'Orange mesurait en cet endroit un demi-mille de largeur. Son rapide courant, brisé çà et là par des têtes de rocs et des troncs d'arbres engagés dans la vase, offrait donc un certain danger pour une frêle embarcation. Mathieu Strux avait présenté quelques observations à cet égard. Mais ne voulant pas paraître reculer devant un péril que ses compagnons allaient braver, il se rangea à l'opinion commune.

Seul, Nicolas Palander dut acccompagner le reste de l'expédition dans son détour vers le bas cours du fleuve. Non que le digne calculateur eût conçu la moindre crainte ! Il était trop absorbé pour soupçonner un danger quelconque. Mais sa présence n'était pas indispensable à la conduite des opérations, et il pouvait sans inconvénient quitter ses compagnons pendant un jour ou deux. D'ailleurs, l'embarcation, fort petite, ne pouvait contenir qu'un nombre limité de passagers. Or, il valait mieux ne faire qu'une traversée de ce rapide, et transporter d'une seule fois les hommes, les instruments et quelques vivres sur la rive droite. Des marins expérimentés étaient nécessaires pour diriger le canot de caoutchouc, et Nicolas Palander céda sa place à l'un des Anglais du *Queen and Tzar*, beaucoup plus utile en cette circonstance que l'honorable astronome d'Helsingfors.

Un rendez-vous ayant été convenu au nord du rapide, la caravane commença à descendre la rive gauche sous la direction du chasseur. Bientôt les derniers chariots eurent disparu dans l'éloignement, et le colonel Everest,

Mathieu Strux, Emery, Zorn, sir John Murray, deux matelots et un boschjesman fort entendu en matière de navigation fluviale, restèrent sur la rive du Nosoub.

Tel était le nom donné par les indigènes à ce cours d'eau, très accru, en ce moment, par les ruisseaux tributaires formés pendant la dernière saison des pluies.

« Une fort jolie rivière, dit Michel Zorn, à son ami William, tandis que les marins préparaient l'embarcation destinée à les transporter sur l'autre rive.

— Fort jolie, mais difficile à traverser, répondit William Emery. Ces rapides, ce sont des cours d'eau qui ont peu de temps à vivre, et qui jouissent de la vie ! Dans quelques semaines, avec la saison sèche, il ne restera peut-être pas de quoi désaltérer une caravane dans le lit de cette rivière, et maintenant, c'est un torrent presque infranchissable. Il se hâte de couler et tarira vite ! Telle est, mon cher compagnon, la loi de la nature physique et morale. Mais nous n'avons pas de temps à perdre en propos philosophiques. Voici le canot préparé, et je ne suis pas fâché de voir comment il se comportera sur ce rapide. »

En quelques minutes, l'embarcation de caoutchouc, développée et fixée sur son armature intérieure, avait été lancée à la rivière. Elle attendait les voyageurs au bas d'une berge, coupée en pente douce dans un massif de granit rose. En cet endroit, grâce à un remous produit par une pointe avancée de la rive, l'eau tranquille baignait sans murmure les roseaux entremêlés de plantes sarmenteuses. L'embarquement s'opéra donc facilement. Les instruments furent déposés dans le fond du canot, sur une couche d'herbages, afin de n'éprouver aucun choc. Les passagers prirent place de manière à ne point gêner le mouvement des deux rames confiées aux matelots. Le boschjesman se mit à l'arrière et prit la barre.

Cet indigène était le « foreloper » de la caravane, c'est-à-dire « l'homme qui ouvre la marche ». Le chas-

seur l'avait donné comme un habile homme, ayant une grande pratique des rapides africains. Cet indigène savait quelques mots d'anglais, et il recommanda aux passagers de garder un profond silence pendant la traversée du Nosoub.

L'amarre qui retenait le canot à la rive fut détachée, et les avirons l'eurent bientôt poussé en dehors du remous. Il commença à sentir l'influence du courant qui, une centaine de yards plus loin, se transformait en rapide. Les ordres donnés aux deux matelots par le foreloper étaient exécutés avec précision. Tantôt, il fallait lever les rames, afin d'éviter quelque souche à demi immergée sous les eaux, tantôt forcer au contraire quelque tourbillon formé par un contre-courant. Puis, quand l'entraînement devenait trop fort, on laissait courir en maintenant la légère embarcation dans le fil des eaux. L'indigène, la barre en main, l'œil fixe, la tête immobile, paraît ainsi à tous les dangers de la traversée. Les Européens observaient avec une vague inquiétude cette situation nouvelle. Ils se sentaient emportés avec une irrésistible puissance par ce courant tumultueux. Le colonel Everest et Mathieu Strux se regardaient l'un l'autre sans desserrer les lèvres. Sir John Murray, son inséparable rifle entre les jambes, examinait les nombreux oiseaux dont l'aile effleurait la surface du Nosoub. Les deux jeunes astronomes admiraient sans préoccupation et sans réserve les rives qui fuyaient déjà avec une vertigineuse vitesse.

Bientôt, la frêle embarcation eut atteint le véritable rapide qu'il s'agissait de couper obliquement, afin de regagner vers la berge opposée des eaux plus tranquilles. Les matelots, sur un mot du boschjesman, appuyèrent plus vigoureusement sur leurs avirons. Mais, en dépit de leurs efforts, le canot, irrésistiblement entraîné, reprit une direction parallèle aux rives, et glissa vers l'aval. La barre n'avait plus d'action sur lui : les rames ne pouvaient même plus le redresser. La situation devenait fort périlleuse, car le heurt d'un roc ou d'un tronc eut infailliblement renversé le canot.

Les passagers sentirent le danger, mais pas un d'eux ne prononça une parole.

Le foreloper s'était levé à demi. Il observait la direction suivie par l'embarcation dont il ne pouvait enrayer la vitesse sur des eaux qui, ayant précisément la même rapidité qu'elle, rendaient nulle l'action du gouvernail. A deux cents yards du canot, une sorte d'îlot, dangereuse agrégation de pierres et d'arbres, se dressait hors du lit de la rivière. Il était impossible de l'éviter. En quelques instants, le canot devait l'atteindre et s'y déchirer immanquablement.

En effet, un choc eut lieu presque aussitôt, mais moins rude qu'on ne l'eût supposé. L'embarcation s'inclina : quelques pintes d'eau y entrèrent. Cependant, les passagers purent se maintenir à leur place. Ils regardèrent devant eux... Le roc noir qu'ils avaient heurté se déplaçait et s'agitait au milieu du bouillonnement des eaux.

Ce roc, c'était un monstrueux hippopotame, que le courant avait entraîné jusqu'à l'îlot, et qui n'osait s'aventurer dans le rapide afin de gagner l'une ou l'autre rive. En se sentant heurté par l'embarcation, il releva la tête, et la secouant horizontalement, il regarda autour de lui avec ses petits yeux hébétés. L'énorme pachyderme, long de dix pieds, la peau dure, brune et dépourvue de poils, la gueule ouverte, montrait des incisives supérieures et des canines extrêmement développées. Presque aussitôt, il se précipita sur l'embarcation qu'il mordit avec rage, et que ses dents menaçaient de lacérer.

Mais sir John Murray était là. Son sang-froid ne l'abandonna pas. Il épaula tranquillement son fusil, et frappa d'une balle l'animal près de l'oreille. L'hippopotame ne lâcha pas prise, et secoua le canot comme un chien fait d'un lièvre. Le rifle, immédiatement rechargé, blessa de nouveau l'animal à la tête. Le coup fut mortel.

car toute cette masse charnue coula immédiatement, après avoir, dans un dernier effort d'agonie, repoussé le canot au large de l'îlot.

Avant que les passagers eussent pu se reconnaître, l'embarcation, prise de travers, tournoyant comme une toupie, reprenait obliquement la direction du rapide. Un coude brusque de la rivière, à quelques centaines de yards au-dessous, brisait alors le courant du Nosoub. Le canot y fut porté en vingt secondes. Un choc violent l'arrêta, et les passagers, sains et saufs, s'élancèrent sur la berge, après avoir été entraînés pendant un espace de deux milles, en aval de leur point d'embarquement.

XI
Où l'on retrouve Nicolas Palander

Les travaux géodésiques furent repris. Deux stations successivement adoptées, jointes à la station dernière, située en deçà du fleuve, servirent à la formation d'un nouveau triangle. Cette opération se fit sans difficulté. Cependant, les astronomes durent se défier des serpents qui infestaient cette région. C'étaient des « mambas » fort venimeux, longs de dix à douze pieds, et dont la morsure eût été mortelle.

Quatre jours après le passage du rapide de Nosoub, le 21 juin, les opérateurs se trouvaient au milieu d'un pays boisé. Mais les taillis qui le couvraient, formés d'arbres médiocres, ne gênèrent pas le travail de la triangulation.

A tous les points de l'horizon, des éminences bien distinctes, et que séparaient une distance de plusieurs milles, se prêtaient à l'établissement des pylônes et des réverbères. Cette contrée, vaste dépression de terrain sensiblement abaissée au-dessous du nivellement général, était, par cela même, humide et fertile. William Emery y reconnut par milliers le figuier de la Hottentotie, dont les fruits aigrelets sont très goûtés des Boschjesmen. Les plaines, largement étendues entre les taillis, répandaient un suave parfum dû à la présence d'une infinité de racines bulbeuses, assez semblables aux plantes du colchique. Un fruit jaune, long de deux à trois pouces, surmontait ces racines et parfumait l'air de ses odorantes émanations. C'était le « kucumakranti » de l'Afrique australe, dont les petits indigènes se montrent particulièrement friands. En cette région, où les eaux environnantes affluaient par des pentes insensibles, reparurent aussi les champs de coloquintes, et d'interminables bordures de ces menthes dont la transplantation a si parfaitement réussi en Angleterre.

Quoique fertile et propice à de grands développements agricoles, cette région extra-tropicale paraissait peu fréquentée des tribus nomades. On n'y voyait aucune trace d'indigènes. Pas un kraal, pas même un feu de campement. Cependant, les eaux n'y manquaient pas, et formaient en maint endroit des ruisseaux, des mares, quelques lagons assez importants et deux ou trois rivières à cours rapide qui devaient affluer aux divers tributaires de l'Orange.

Ce jour-là, les savants organisèrent une halte avec l'intention d'attendre la caravane. Les délais fixés par le chasseur allaient expirer, et s'il ne s'était pas trompé dans ses calculs, il devait arriver ce jour même, après avoir franchi le passage guéable sur les bas cours du Nosoub.

Cependant, la journée s'écoula. Aucun Boschjesman

ne parut. L'expédition avait-elle rencontré quelque obstacle qui l'empêchait de les rejoindre ? Sir John Murray pensa que le Nosoub n'étant pas guéable à cette époque où les réserves d'eau sont encore abondantes, le chasseur avait dû aller chercher plus au sud un gué praticable. Cette raison était plausible, en effet. Les pluies avaient été très abondantes pendant la dernière saison et devaient provoquer des crues inaccoutumées.

Les astronomes attendaient. Mais quand la journée du 22 juin se fut également achevée sans qu'aucun des hommes de Mokoum n'eût paru, le colonel Everest se montra fort inquiet. Il ne pouvait continuer sa marche au nord, quand le matériel de l'expédition lui manquait. Or, ce retard, s'il se prolongeait, pouvait compromettre le succès des opérations.

Mathieu Strux, à cette occasion, fit observer que son opinion avait été d'accompagner la caravane, après avoir relié géodésiquement la dernière station en deçà du fleuve, avec les deux stations au-delà : que si son avis eût été suivi, l'expédition ne se trouverait pas dans l'embarras ; que si le sort de la triangulation était compromis par ce retard, la responsabilité en remonterait à ceux qui avaient cru devoir.... etc... Qu'en tout cas, les Russes.... etc.

Le colonel Everest, on le pense bien, protesta contre ces insinuations de son collègue, rappelant que la décision avait été prise en commun ; mais sir John Murray intervint, et demanda que cette discussion, parfaitement oiseuse, d'ailleurs, fût immédiatement close. Ce qui était fait était fait, et toutes les récriminations du monde ne changeraient rien à la situation. Il fut dit seulement que si, le lendemain, la caravane boschjesmane n'avait pas rallié les Européens, William Emery et Michel Zorn, qui s'étaient offerts, iraient à sa recherche en descendant vers le sud-ouest sous la conduite du foreloper. Pendant leur absence, le colonel Everest et ses collègues demeureraient au campement, et attendraient leur retour pour prendre une détermination.

Ceci convenu, les deux rivaux se tinrent à l'écart l'un de l'autre pendant le reste de la journée. Sir John Murray occupa son temps en battant les taillis voisins. Mais le gibier de poil lui fit défaut. Quant aux volatiles, il ne fut pas très heureux au point de vue comestible. En revanche, le naturaliste, dont est souvent doublé un chasseur, eut lieu d'être satisfait. Deux remarquables espèces tombèrent sous le plomb de son fusil. Il rapporta un beau francolin, long de treize pouces, court de tarse, gris foncé au dos, rouge de pattes et de bec, dont les élégantes rémiges se nuançaient de couleur brune ; remarquable échantillon de la famille des tétraonidés, dont la perdrix est le type. L'autre oiseau, que sir John avait abattu par un remarquable coup d'adresse, appartenait à l'ordre des rapaces. C'était une espèce de faucon particulier à l'Afrique australe, dont la gorge est rouge, la queue blanche, et que l'on cite justement pour la beauté de ses formes. Le foreloper dépouilla adroitement ces deux oiseaux, de manière à ce que leur peau pût être conservée intacte.

Les premières heures du 23 juin s'étaient déjà écoulées. La caravane n'avait pas encore été signalée, et les deux jeunes gens allaient se mettre en route, quand des aboiements éloignés suspendirent leur départ. Bientôt, au tournant d'un taillis d'aloès situé sur la gauche du campement, le chasseur Mokoum apparut sur son zèbre lancé à toute vitesse.

Le bushman avait devancé la caravane, et s'approchait rapidement des Européens.

« Arrivez donc, brave chasseur, s'écria joyeusement sir John Murray. Véritablement, nous désespérions de vous ! Savez-vous que je ne me serais jamais consolé de ne pas vous avoir revu ! Il semble que le gibier me fuit quand vous n'êtes pas à mon côté. Venez donc que nous fêtions votre retour par un bon verre de tonre usque-baugh d'Ecosse ! »

A ces bienveillantes et amicales paroles de l'honorable sir John, Mokoum ne répondit pas. Il dévisageait chacun des Européens. Il les comptait les uns après les autres. Une vive anxiété se peignait sur son visage.

Le colonel Everest s'en aperçut aussitôt, et allant au chasseur qui venait de mettre pied à terre :

« Qui cherchez-vous, Mokoum ? lui demanda-t-il.

— Monsieur Palander, répondit le bushman.

— N'a-t-il pas suivi votre caravane ? N'est-il pas avec vous ? reprit le colonel Everest.

— Il n'y est plus ! répondit Mokoum. J'espérais le retrouver à votre campement ! Il s'est égaré !

Sur ces derniers mots du bushman, Mathieu Strux s'était rapidement avancé :

« Nicolas Palander perdu ! s'écria-t-il, un savant confié à vos soins, un astronome dont vous répondiez, et que vous ne ramenez pas ! Savez-vous bien, chasseur, que vous êtes responsable de sa personne, et qu'il ne suffit pas de dire : Monsieur Nicolas Palander est perdu ! »

Ces paroles de l'astronome russe échauffèrent les oreilles du chasseur, qui, n'étant point en chasse, n'avait aucune raison d'être patient.

« Eh ! eh ! monsieur l'Astrologue de toutes les Russies, répondit-il d'une voix irritée, est-ce que vous n'allez pas mesurer vos paroles ? Est-ce que je suis chargé de garder votre compagnon qui ne sait pas se garder lui-même ! Vous vous en prenez à moi, et vous avez tort, entendez-vous ? Si monsieur Palander s'est perdu, c'est par sa faute ! Vingt fois, je l'ai surpris, toujours absorbé dans ses chiffres, et s'éloignant de notre caravane. Vingt fois, je l'ai averti et ramené. Mais avant-hier, à la tombée de la nuit, il a disparu, et malgré mes recherches, je n'ai pu le retrouver. Soyez plus habile, si vous le pouvez, et puisque vous savez si bien manœuvrer votre lunette, mettez votre œil au bout, et tâchez de découvrir votre compagnon ! »

Le bushman aurait sans doute continué sur ce ton, à la grande colère de Mathieu Strux, qui, la bouche ouverte, ne pouvait placer un mot, si John Murray n'eût calmé l'irascible chasseur. Fort heureusement pour le savant russe, la discussion entre le bushman et lui s'arrêta. Mais Mathieu Strux, par une insinuation sans fondement, se rabattit sur le colonel Everest qui ne s'y attendait pas.

« En tout cas, dit d'un ton sec l'astronome de Poulkowa, je n'entends pas abandonner mon malheureux compagnon dans ce désert. En ce qui me regarde, j'emploierai tous mes efforts à le retrouver. Si c'était sir John Murray ou monsieur William Emery, dont la disparition eût été ainsi constatée, le colonel Everest, j'imagine, n'hésiterait pas à suspendre les opérations géodésiques pour porter secours à ses compatriotes. Or, je ne vois pas pourquoi on ferait moins pour un savant russe que pour un savant anglais ! »

Le colonel Everest, ainsi interpellé, ne put garder son calme habituel.

« Monsieur Mathieu Strux, s'écria-t-il les bras croisés, le regard fixé sur les yeux de son adversaire, est-ce un parti pris chez vous de m'insulter gratuitement ? Pour qui nous prenez-vous, nous autres Anglais ! Vous avons-nous donné le droit de douter de nos sentiments dans une question d'humanité ? Qui vous fait supposer que nous n'irons pas au secours de ce maladroit calculateur...

— Monsieur..., riposta le Russe sur ce qualificatif appliqué à Nicolas Palander.

— Oui ! maladroit, reprit le colonel Everest, en articulant toutes les syllabes de son épithète, et pour retourner contre vous ce que vous avanciez si légèrement tout à l'heure, j'ajouterai qu'au cas où nos opérations manqueraient par ce fait, la responsabilité en remonterait aux Russes et non aux Anglais !

— Colonel, s'écria Mathieu Strux, dont les yeux lançaient des éclairs, vos paroles...

— Mes paroles sont toutes pesées, monsieur, et cela dit, nous entendons qu'à compter de ce moment jusqu'au moment où nous aurons retrouvé votre calculateur, toute opération soit suspendue ! Êtes-vous prêt à partir ?

— J'étais prêt avant même que vous n'eussiez prononcé une seule parole ! » répondit aigrement Mathieu Strux.

Sur ce, les deux adversaires regagnèrent chacun son chariot, car la caravane venait d'arriver.

Sir John Murray qui accompagnait le colonel Everest ne put s'empêcher de lui dire :

« Il est encore heureux que ce maladroit n'ait pas égaré avec lui le double registre des mesures.

— C'est à quoi je pensais », répondit simplement le colonel.

Les deux Anglais interrogèrent alors le chasseur Mokoum. Le chasseur leur apprit que Nicolas Palander avait disparu depuis deux jours ; qu'on l'avait vu pour la dernière fois sur le flanc de la caravane à la distance de douze milles du campement ; que lui, Mokoum, aussitôt la disparition du savant, s'était mis à sa recherche, ce qui avait retardé son arrivée ; que ne le trouvant pas, il avait voulu voir si, par hasard, ce « calculateur » n'aurait pas rejoint ses compagnons au nord du Nosoub. Or, puisqu'il n'en était rien, il proposait de diriger les recherches vers le nord-est, dans la partie boisée du pays, ajoutant qu'il n'y avait pas une heure à perdre si l'on voulait retrouver vivant le sieur Nicolas Palander.

En effet, il fallait se hâter. Depuis deux jours, le savant russe errait à l'aventure dans une région que les fauves parcouraient fréquemment. Ce n'était point un homme à se tirer d'affaire, ayant toujours vécu dans le domaine des chiffres, et non dans le monde réel. Où tout autre eût trouvé une nourriture quelconque, le pauvre homme mourrait inévitablement d'inanition. Il importait donc de le secourir au plus tôt.

A une heure, le colonel Everest, Mathieu Strux, sir John Murray et les deux jeunes astronomes quittaient le campement, guidés par le chasseur. Tous montaient de rapides chevaux, même le savant russe qui se cramponnait à sa monture d'une façon grotesque, et maugréait entre ses dents contre l'infortuné Palander qui lui valait une telle corvée. Ses compagnons, gens graves et « comme il faut », voulurent bien ne pas remarquer les attitudes divertissantes que l'astronome de Poulkowa prenait sur son cheval, bête vive et très sensible de la bouche.

Avant de quitter le campement, Mokoum avait prié le foreloper de lui prêter son chien, animal fin et intelligent, habile fureteur, très apprécié du bushman. Ce chien, ayant flairé un chapeau appartenant à Nicolas Palander, s'élança dans la direction du nord-est, tandis que son maître l'excitait par un sifflement particulier. La petite troupe suivit aussitôt l'animal et disparut bientôt sur la lisière d'un épais taillis.

Pendant toute cette journée, le colonel Everest et ses compagnons suivirent les allées et venues du chien. Cette bête sagace avait parfaitement compris ce qu'on lui demandait ; mais les traces du savant égaré lui manquaient encore, et aucune piste ne pouvait être suivie ni régulièrement ni sûrement. Le chien, cherchant à reconnaître les émanations du sol, allait en avant, mais revenait bientôt sans être tombé sur une trace certaine.

De leur côté, les savants ne négligeaient aucun moyen de signaler leur présence dans cette région déserte. Ils appelaient, ils tiraient des coups de fusil, espérant se faire entendre de Nicolas Palander, si distrait ou absorbé qu'il fût. Les environs du campement avaient été ainsi parcourus dans un rayon de cinq milles, quand le soir arriva et suspendit les recherches. On devait les reprendre le lendemain, dès le petit jour.

Pendant la nuit, les Européens s'abritèrent sous un bouquet d'arbres, devant un feu de bois que le bushman entretint soigneusement. Quelques hurlements de bêtes fauves furent entendus. La présence d'animaux féroces n'était pas faite pour les rassurer à l'endroit de Nicolas Palander. Ce malheureux, exténué, affamé, transi par cette nuit froide, exposé aux attaques des hyènes qui abondent dans toute cette partie de l'Afrique, pouvait-on conserver quelque espoir de le sauver ! C'était la préoccupation de tous. Les collègues de l'infortuné passèrent ainsi de longues heures à discuter, à former des projets, à chercher des moyens d'arriver jusqu'à lui. Les Anglais montrèrent, dans cette circonstance, un dévouement dont Mathieu Strux lui-même dut être touché, quoi qu'il en eût. Mort ou vif, il fut décidé que l'on retrouverait le savant russe, dussent les opérations trigonométriques être indéfiniment ajournées.

Enfin, après une nuit dont les heures valaient des siècles, le jour parut. Les chevaux furent harnachés rapidement, et les recherches reprises dans un rayon plus étendu. Le chien avait pris les devants, et la petite troupe se maintenait sur ses traces.

En s'avançant vers le nord-est, le colonel Everest et ses compagnons parcoururent une région fort humide. Les cours d'eau, sans importance, il est vrai, se multipliaient. On les passait aisément à gué, en se garant des crocodiles, dont sir John Murray vit alors les premiers échantillons. C'étaient des reptiles de grande taille, dont quelques-uns mesuraient de vingt-cinq à trente pieds de longueur, animaux redoutables par leur voracité, et difficiles à fuir sur les eaux des lacs ou des fleuves. Le bushman, ne voulant pas perdre de temps à combattre ces sauriens, les évitait par quelque détour, et retenait sir

John, toujours préparé à leur envoyer une balle. Lorsqu'un de ces monstres se montrait entre les hautes herbes, les chevaux, prenant le galop, se dérobaient facilement à sa poursuite. Au milieu des larges étangs créés par le trop-plein des rios, on les voyait par douzaines, la tête au-dessus de l'eau, dévorant quelque proie à la manière des chiens, et happant par petites bouchées avec leurs formidables mâchoires.

Cependant, la petite troupe, sans grand espoir, continuait ses recherches, tantôt sous d'épais taillis, difficiles à fouiller, tantôt en plaine, au milieu de l'inextricable lacis des cours d'eau, interrogeant le sol, relevant les plus insignifiantes empreintes, ici, une branche brisée à hauteur d'homme, là, une touffe d'herbe récemment foulée, plus loin, une marque à demi effacée et dont l'origine était déjà méconnaissable. Rien ne pouvait mettre ces chercheurs sur la trace de l'infortuné Palander.

En ce moment, ils s'étaient avancés d'une dizaine de milles dans le nord du dernier campement, et sur l'avis du chasseur, ils allaient se rabattre vers le sud-ouest, quand le chien donna subitement des signes d'agitation. Il aboyait, remuant sa queue frénétiquement. Il s'écartait de quelques pas, le nez sur le sol, chassant du souffle les herbes sèches du sentier. Puis il revenait à la même place, attiré par quelque émanation particulière.

« Colonel, s'écria alors le bushman, notre chien a senti quelque chose. Ah ! l'intelligente bête ! Il est tombé sur les traces du gibier, — pardon, du savant que nous chassons. Laissons-le faire ! laissons-le faire !

— Oui ! répéta sir John Murray après son ami le chasseur, il est sur la voie. Entendez ces petits jappements ! On dirait qu'il se parle à lui-même, qu'il cherche à se faire une opinion. Je donnerai cinquante livres d'un tel animal, s'il nous conduit à l'endroit où s'est gîté Nicolas Palander. »

Mathieu Strux ne releva pas la manière dont on parlait de son compatriote. L'important était, avant tout, de le retrouver. Chacun se tint donc prêt à s'élancer sur les traces du chien, dès que celui-ci aurait assuré sa voie.

Cela ne tarda guère, et après un jappement sonore, l'animal, bondissant au-dessus d'un hallier, disparut dans la profondeur du taillis.

Les chevaux ne pouvaient le suivre à travers cette forêt inextricable. Force fut au colonel Everest et à ses compagnons de tourner le bois, en se guidant sur les aboiements éloignés du chien. Un certain espoir les excitait alors. Il n'était pas douteux que l'animal ne fût sur les traces du savant égaré, et s'il ne perdait pas cette piste, il devait arriver droit à son but.

Une seule question se présentait alors : Nicolas Palander était-il mort ou vivant ?

Il était onze heures du matin. Pendant vingt minutes environ, les aboiements sur lesquels se guidaient les chercheurs, ne se firent plus entendre. Etait-ce l'éloignement, ou le chien était-il alors dérouté ? Le bushman et sir John qui tenaient les devants, furent fort inquiets. Ils ne savaient plus dans quelle direction entraîner leurs compagnons, quand les aboiements retentirent de nouveau, à un demi-mille environ dans le sud-ouest, mais en dehors de la forêt. Aussitôt, les chevaux, vivement éperonnés, de se diriger de ce côté.

En quelques bonds, la troupe fut arrivée sur une portion très marécageuse du sol. On entendait distinctement le chien, mais on ne pouvait l'apercevoir. Des roseaux, hauts de douze à quinze pieds, hérissaient le terrain.

Les cavaliers durent mettre pied à terre, et après avoir attaché leurs chevaux à un arbre, ils se glissèrent à travers les roseaux, en se guidant sur les aboiements du chien.

Bientôt ils eurent dépassé ce réseau très serré et fort impropre à la marche. Un vaste espace, couvert d'eau et de plantes aquatiques, s'offrit à leurs regards. Dans la

plus grande dépression du sol, un lagon, large et long d'un demi-mille, étendait ses eaux brunâtres.

Le chien, arrêté sur les bords vaseux du lagon, aboyait avec fureur.

« Le voilà ! le voilà ! » s'écria le bushman.

En effet, à l'extrémité d'une sorte de presqu'île, assis sur une souche, immobile, à trois cents pas de distance, Nicolas Palander était là, ne voyant rien, n'entendant rien, un crayon à la main, un carnet placé sur ses genoux, calculant sans doute !

Ses compagnons ne purent retenir un cri. Le savant russe était guetté, à vingt pas au plus, par une bande de crocodiles, la tête hors de l'eau, dont il ne soupçonnait même pas la présence. Ces voraces animaux avançaient peu à peu, et pouvaient l'enlever en un clin d'œil.

« Hâtons-nous ! dit le chasseur à voix basse, je ne sais ce que ces crocodiles attendent pour se jeter sur lui !

— Ils attendent peut-être qu'il soit faisandé ! » ne put s'empêcher de répondre sir John, faisant allusion à ce fait observé par les indigènes, que ces reptiles ne se repaissent jamais de viande fraîche.

Le bushman et sir John recommandèrent à leurs compagnons de les attendre en cet endroit, et ils tournèrent le lagon de manière à gagner l'isthme étroit qui devait les conduire près de Nicolas Palander.

Ils n'avaient pas fait deux cents pas, quand les crocodiles, quittant les profondeurs de l'eau, commencèrent à ramper sur le sol, marchant droit à leur proie.

Le savant ne voyait rien. Ses yeux ne quittaient pas son carnet. Sa main traçait encore des chiffres.

« Du coup d'œil, du sang-froid, ou il est perdu ! » murmura le chasseur à l'oreille de sir John.

Tous deux, alors, mirent genou à terre, et visant les reptiles les plus rapprochés, ils firent feu. Une double détonation retentit. Deux des monstres, l'épine dorsale

brisée, culbutèrent dans l'eau, et le reste de la bande disparut en un instant sous la surface de l'eau.

Au bruit des armes à feu, Nicolas Palander avait enfin relevé la tête. Il reconnut ses compagnons, et courant vers eux, en agitant son carnet :

« J'ai trouvé ! j'ai trouvé ! s'écriait-il.

— Et qu'avez-vous trouvé, monsieur Palander ? lui demanda sir John.

— Une erreur de décimale dans le cent troisième logarithme de la table de James Wolston ! »

En effet, il avait trouvé cette erreur, le digne homme ! Il avait découvert une erreur de logarithme ! Il avait droit à la prime de cent livres promise par l'éditeur James Wolston ! Et, depuis quatre jours qu'il errait dans ces solitudes, voilà à quoi avait passé son temps le célèbre astronome de l'observatoire d'Helsingfors !

XII
Une station
au goût de sir John

Enfin, le calculateur russe était retrouvé. Lorsqu'on lui demanda comment il avait vécu pendant ces quatre jours, il ne put le dire. Avait-il eu conscience des dangers qu'il courait ainsi, ce n'était pas probable. Quand on lui raconta l'incident des crocodiles, il ne voulut pas y croire et prit la chose pour une plaisanterie. Avait-il eu faim ? pas davantage. Il s'était nourri de chiffres, et si bien nourri, qu'il avait relevé cette erreur dans sa table de logarithmes !

En présence de ses collègues, Mathieu Strux, par amour-propre national, ne voulut faire aucun reproche à Nicolas Palander ; mais, dans le particulier, on est fondé à croire que l'astronome russe reçut une verte semonce de son chef, et qu'il fut invité à ne plus se laisser entraîner par ses études logarithmiques.

Les opérations furent immédiatement reprises. Pendant quelques jours, les travaux marchèrent convenablement. Un temps clair et net favorisait les observations, soit dans la mesure angulaire des stations, soit dans les distances zénithales. De nouveaux triangles furent ajoutés au réseau, et leurs angles sévèrement déterminés par des observations multiples.

Le 28 juin, les astronomes avaient obtenu géodésiquement la base de leur quinzième triangle. Suivant leur estime, ce triangle devait comprendre le tronçon de la méridienne qui s'étendait entre le deuxième et le troisième degré. Pour l'achever, il restait à mesurer les deux angles adjacents en visant une station située à son sommet.

Là, une difficulté physique se présenta. Le pays, couvert de taillis à perte de vue, ne se prêtait point à l'établissement des signaux. Sa pente générale, assez accusée du sud au nord, rendait difficile, non la pose, mais la visibilité des pylônes.

Un seul point pouvait servir à l'établissement d'un réverbère, mais à une grande distance. C'était le haut d'une montagne de douze à treize cents pieds, qui s'élevait à trente milles environ vers le nord-ouest. Dans ces conditions, les côtés de ce quinzième triangle auraient donc des longueurs dépassant vingt mille toises, longueurs qui furent portées quelquefois au quadruple dans diverses mesures trigonométriques, mais que les membres de la commission anglo-russe n'avaient pas encore atteintes[1].

Après mûre discussion, les astronomes décidèrent l'établissement d'un réverbère électrique sur cette hauteur, et ils résolurent de faire halte jusqu'au moment où le signal serait posé. Le colonel Everest, William Emery et Michel Zorn, accompagnés de trois matelots et de deux Boschjesmen dirigés par le foreloper, furent désignés pour se rendre à la nouvelle station, afin d'établir la mire lumineuse destinée à une opération de nuit. La distance était trop grande, en effet, pour que l'on se hasardât à observer de jour avec une certitude suffisante.

La petite troupe, munie de ses instruments et de ses appareils portés à dos de mulets, et pourvue de vivres, partit dans la matinée du 28 juin. Le colonel Everest ne comptait arriver que le lendemain à la base de la montagne, et pour peu que l'ascension présentât quelques difficultés, le réverbère ne pouvait être établi au plus tôt que dans la nuit du 29 au 30. Les observateurs, demeurés au campement, ne devaient donc pas chercher avant trente-six heures au moins le sommet lumineux de leur quinzième triangle.

Pendant l'absence du colonel Everest, Mathieu Strux et Nicolas Palander se livrèrent à leurs occupations habituelles. Sir John Murray et le bushman battirent les alentours du campement, et tuèrent quelques pièces appartenant à l'espèce des antilopes, si variée dans les régions de l'Afrique australe.

Sir John ajouta même à ses exploits cynégétiques le « forcement » d'une girafe, bel animal, rare dans les contrées du nord, mais commun au milieu des plaines du sud. La chasse de la girafe est regardée comme « un beau sport » par les connaisseurs. Sir John et le bushman tom-

---

1. Dans la mesure de la méridienne de France poussée jusqu'à Formentera, Arago à Desierto à Campvey dans son 15e triangle a mesuré un côté de 160 904 mètres, de la côte d'Espagne à l'île d'Iviza.

bèrent sur un troupeau de vingt individus, très farouches, qu'ils ne purent approcher à plus de cinq cents yards. Cependant, une girafe femelle s'étant détachée de la bande, les deux chasseurs résolurent de la forcer. L'animal prit la fuite au petit trot, se laissant gagner volontairement ; mais quand les chevaux de sir John et du bushman se furent sensiblement rapprochés, la girafe, tordant sa queue, se prit à fuir avec une excessive rapidité. Il fallut la poursuivre pendant plus de deux milles. Enfin, une balle, qui lui fut envoyée au défaut de l'épaule par le rifle de sir John, la jeta sur le flanc. C'était un magnifique échantillon de l'espèce, « cheval par le cou, bœuf par les pieds et les jambes, chameau par la tête », disaient les Romains, et dont le pelage rougeâtre était tacheté de blanc. Ce singulier ruminant ne mesurait pas moins de onze pieds de hauteur depuis la naissance du sabot jusqu'à l'extrémité de ses petites cornes, revêtues de peau et de poils.

Pendant la nuit suivante, les deux astronomes russes prirent quelques bonnes hauteurs d'étoiles, qui leur servirent à déterminer la latitude du campement.

La journée du 29 juin s'écoula sans incidents. On attendit la nuit prochaine avec une certaine impatience pour fixer le sommet du quinzième triangle. La nuit vint, une nuit sans lune, sans étoiles, mais sèche, et que ne salissait aucun brouillard, nuit très propice, par conséquent, pour le relèvement d'une mire éloignée.

Toutes les dispositions préliminaires avaient été prises, et la lunette du cercle répétiteur, braquée pendant le jour sur le sommet de la montagne, devait rapidement viser le réverbère électrique, au cas où l'éloignement l'eût rendu invisible à la simple vue.

Donc, pendant toute la nuit du 29 au 30, Mathieu Strux, Nicolas Palander et sir John Murray se relayèrent devant l'oculaire de l'instrument..., mais le sommet de la montagne demeura inaperçu, et pas une lumière ne brilla à sa pointe extrême.

Les observateurs en conclurent que l'ascension avait présenté des difficultés sérieuses, et que le colonel Everest n'avait pu atteindre le sommet du cône avant la fin du jour. Ils remirent donc leur observation à la nuit suivante, ne doutant pas que l'appareil lumineux n'eût été installé pendant la journée.

Mais quelle fut leur surprise, quand, ce 30 juin, vers deux heures de l'après-midi, le colonel Everest et ses compagnons, dont rien ne faisait présager le retour, reparurent au campement.

Sir John s'élança au-devant de ses collègues.

« Vous, colonel, s'écria-t-il.

— Nous-mêmes, sir John.

— La montagne est-elle donc inaccessible ?

— Très accessible, au contraire, répondit le colonel Everest, mais bien gardée, je vous en réponds. Aussi, venons-nous chercher du renfort.

— Quoi ! des indigènes ?

— Oui, des indigènes à quatre pattes et à crinière noire, qui ont dévoré un de nos chevaux ! »

En quelques mots, le colonel raconta à ses collègues son voyage qui s'était parfaitement effectué jusqu'à la base de la montagne. Cette montagne, on le reconnut alors, n'était franchissable que par un contrefort du sud-ouest. Or, précisément, dans l'unique défilé qui aboutit à ce contrefort, une troupe de lions avait établi son « kraal », suivant l'expression du foreloper. Vainement le colonel Everest essaya de déloger ces formidables animaux ; insuffisamment armé, il dut battre en retraite, après avoir perdu un cheval auquel un magnifique lion avait cassé les reins d'un coup de patte.

Un tel récit ne pouvait qu'enflammer sir John Murray et le bushman. Cette « montagne des Lions » était une station à conquérir, station absolument nécessaire, d'ailleurs, à la continuation des travaux géodésiques. L'occasion de se mesurer contre les plus redoutables individus de la race féline était trop belle pour n'en point profiter, et l'expédition fut immédiatement organisée.

Tous les savants européens, sans en excepter le pacifique Palander, voulaient y prendre part ; mais il était indispensable que quelques-uns demeurassent au campement pour la mesure des angles adjacents à la base du nouveau triangle. Le colonel Everest, comprenant que sa présence était nécessaire au contrôle de l'opération, se résigna à rester en compagnie des deux astronomes russes. D'autre part, il n'y avait aucun motif qui pût retenir sir John Murray. Le détachement, destiné à forcer les abords de la montagne, se composa donc de sir John, de William Emery et de Michel Zorn, aux instances desquels leurs chefs avaient dû se rendre, puis du bushman qui n'eût cédé sa place à personne, et enfin de trois indigènes dont Mokoum connaissait le courage et le sang-froid.

Après avoir serré la main à leurs collègues, les trois Européens, vers quatre heures du soir, quittèrent le campement, et s'enfoncèrent sous le taillis, dans la direction de la montagne. Ils poussèrent rapidement leurs chevaux, et à neuf heures du soir, ils avaient franchi la distance de trente milles.

Arrivés à deux milles du mont, ils mirent pied à terre et organisèrent leur couchée pour la nuit. Aucun feu ne fut allumé, car Mokoum ne voulait pas attirer l'attention des animaux qu'il désirait combattre au grand jour, ni provoquer une attaque nocturne.

Pendant cette nuit, les rugissements retentirent presque incessamment. C'est pendant l'obscurité, en effet, que ces redoutables carnassiers abandonnent leur tanière et se mettent en quête de nourriture. Aucun des chasseurs ne dormit, même une heure, et le bushman profita de cette insomnie pour leur donner quelques conseils que son expérience rendait précieux :

« Messieurs, leur dit-il d'un ton parfaitement calme, si le colonel Everest ne s'est pas trompé, nous aurons affaire demain à une bande de lions à crinière noire. Ces bêtes-là appartiennent donc à l'espèce la plus féroce et la plus dangereuse. Nous aurons soin de bien nous tenir. Je vous recommande d'éviter le premier bond de ces animaux, qui peuvent franchir, d'un saut, de seize à vingt pas. Leur premier coup manqué, il est rare qu'ils redoublent. J'en parle par expérience. Comme ils rentrent à leur tanière à la reprise du jour, c'est là que nous les attaquerons. Mais ils se défendront, et se défendront bien. Je vous dirai qu'au matin, les lions, bien repus, sont moins féroces, et peut-être moins braves ; c'est une question d'estomac. C'est aussi une question de lieu, car ils sont plus timides dans les régions où l'homme les harcelle sans cesse. Mais ici, en pays sauvage, ils auront toutes les férocités de la sauvagerie. Je vous recommanderai aussi, messieurs, de bien évaluer vos distances avant de tirer. Laissez l'animal s'approcher, ne faites feu qu'à coup sûr, et visez au défaut de l'épaule. J'ajouterai que nous laisserons nos chevaux en arrière. Ces animaux s'effraient en présence du lion et compromettent la sûreté de leur cavalier. C'est à pied que nous combattrons, et je compte que le sang-froid ne vous fera pas défaut. »

Les compagnons du bushman avaient écouté silencieusement la recommandation du chasseur. Mokoum était redevenu l'homme patient des chasses. Il savait que l'affaire serait grave. Si, en effet, le lion ne se jette pas ordinairement sur l'homme qui passe sans le provoquer, sa fureur est, du moins, portée au plus haut point dès qu'il se sent attaqué. C'est alors une bête terrible, à laquelle la nature a donné la souplesse pour bondir, la force pour briser, la colère qui la rend formidable. Aussi, le bushman recommanda-t-il aux Européens de garder leur sang-froid, et surtout à sir John, qui se laissait parfois emporter par son audace.

« Tirez un lion, lui dit-il, comme vous tireriez un perdreau, sans plus d'émotion. Tout est là ! »

Tout est là, en effet. Mais qui peut répondre, quand il n'est pas aguerri par l'habitude, de conserver son sang-froid en présence d'un lion.

A quatre heures du matin, les chasseurs, après avoir solidement attaché leurs chevaux au milieu d'un épais taillis, quittèrent le lieu de halte. Le jour ne se faisait pas encore. Quelques nuances rougeâtres flottaient dans les brumes de l'est. L'obscurité était profonde.

Le bushman recommanda à ses compagnons de visiter leurs armes. Sir John Murray et lui, armés chacun d'une carabine se chargeant par la culasse, n'eurent qu'à glisser dans le tonnerre la cartouche à culot de cuivre, et à essayer si le chasse-cartouche fonctionnait bien. Michel Zorn et William Emery, porteurs de rifles rayés, renouvelèrent les amorces que l'humidité de la nuit pouvait avoir endommagées. Quant aux trois indigènes, ils étaient munis d'arcs d'aloès qu'ils maniaient avec une grande adresse. Plus d'un lion, en effet, était déjà tombé sous leurs flèches.

Les six chasseurs, formant un groupe compact, se dirigèrent vers le défilé dont les deux jeunes savants avaient la veille reconnu les abords. Ils ne prononçaient pas une parole et se glissaient entre les troncs de la futaie, comme les Peaux-Rouges sous les broussailles de leurs forêts.

Bientôt, la petite troupe fut arrivée à l'étroite gorge qui formait l'amorce du défilé. A ce point commençait ce boyau, creusé entre deux murailles de granit, qui conduisait aux premières pentes du contrefort. C'était dans ce boyau, à mi-route environ, sur une portion élargie par un éboulement, que se trouvait la tanière occupée par la bande des lions.

Le bushman prit alors les dispositions suivantes : sir John Murray, un des indigènes et lui devaient s'avancer seuls en se glissant sur les arêtes supérieures du défilé. Ils espéraient arriver ainsi près de la tanière, et comptaient en déloger les redoutables fauves, de manière à les chasser vers l'extrémité inférieure du défilé. Là, les deux jeunes Européens et les deux Boschjesmen, postés à l'affût, devaient recevoir les fuyards à coups d'arcs et de fusils.

L'endroit se prêtait excellemment à cette manœuvre. Là s'élevait un énorme sycomore qui dominait tout le taillis environnant, et dont les multiples fourches offraient un poste sûr que les lions ne sauraient atteindre. On sait, en effet, que ces animaux n'ont pas reçu, comme leurs congénères de la race féline, le don de grimper aux arbres. Des chasseurs, ainsi placés à une certaine hauteur, pouvaient esquiver leurs bonds et les tirer dans des conditions favorables.

La manœuvre périlleuse devait donc être exécutée par Mokoum, sir John et l'un des indigènes. Sur l'observation qu'en fit William Emery, le chasseur répondit qu'il ne pouvait en être autrement, et il insista pour qu'aucune modification ne fût apportée à son plan. Les jeunes gens se rendirent à ses raisons.

Le jour commençait alors à poindre. L'extrême sommet de la montagne s'allumait comme une torche sous la projection des rayons solaires. Le bushman, après avoir vu ses quatre compagnons s'installer sur les branches du sycomore, donna le signal du départ. Sir John, le Boschjesman et lui rampèrent bientôt le long d'une sente capricieusement contournée sur la paroi de droite du défilé.

Ces trois audacieux chasseurs s'avancèrent ainsi pendant une cinquantaine de pas, s'arrêtant parfois et observant l'étroit boyau qu'ils remontaient. Le bushman ne doutait pas que les lions, après leur excursion nocturne,

ne fussent rentrés à leur gîte, soit pour y dévorer leur proie, soit pour y prendre du repos. Peut-être même pourrait-il les surprendre endormis, et en finir rapidement avec eux.

Un quart d'heure après avoir franchi l'entrée du défilé, Mokoum et ses deux compagnons arrivèrent devant la tanière, à l'éboulement qui leur avait été indiqué par Michel Zorn. Là, ils se tapirent sur le sol et examinèrent le gîte.

C'était une excavation assez large, dont on ne pouvait en ce moment estimer la profondeur. Des débris d'animaux, des monceaux d'ossements, en masquaient l'entrée. Il n'y avait pas à s'y méprendre, c'était la retraite des lions signalée par le colonel Everest.

Mais en ce moment, contrairement à l'opinion du chasseur, la caverne semblait déserte. Mokoum, le fusil armé, se laissa glisser jusqu'au sol, et rampant sur les genoux, il parvint à l'entrée de la tanière.

Un seul regard, rapidement jeté à l'intérieur, lui montra qu'elle était vide.

Cette circonstance, sur laquelle il ne comptait pas, lui fit immédiatement modifier son plan. Ses deux compagnons, appelés par lui, le rejoignirent en un instant.

« Sir John, dit le chasseur, notre gibier n'est pas rentré au gîte, mais il ne peut tarder à paraître. J'imagine que nous ferons bien de nous installer à sa place. Mieux vaut être assiégés qu'assiégeants avec des lurons pareils, surtout quand la place a une armée de secours à ses portes. Qu'en pense Votre Honneur ?

— Je pense comme vous, bushman, répondit sir John Murray. Je suis sous vos ordres et je vous obéis. »

Mokoum, sir John et l'indigène pénétrèrent dans la tanière. C'était une grotte profonde, semée d'ossements et de chairs sanglantes. Après avoir reconnu qu'elle était absolument vide, les chasseurs se hâtèrent d'en barricader l'entrée au moyen de grosses pierres qu'ils roulèrent

non sans peine, et qu'ils accumulèrent les unes sur les autres. Les intervalles laissés entre ces pierres furent bouchés avec des branchages et des broussailles sèches dont la portion ravinée du défilé était couverte.

Ce travail ne demanda que quelques minutes, car l'entrée de la grotte était relativement étroite. Puis, les chasseurs se portèrent derrière leur barricade percée de meurtrières, et ils attendirent.

Leur attente ne fut pas de longue durée. Vers cinq heures et quart, un lion et deux lionnes parurent à cent pas de la tanière. C'étaient des animaux de grande taille. Le lion, secouant sa crinière noire et balayant le sol de sa redoutable queue, portait entre ses dents une antilope tout entière, qu'il secouait comme un chat eût fait d'une souris. Ce lourd gibier ne pesait pas à sa gueule puissante, et sa tête, quoique pesamment chargée, remuait avec une aisance parfaite. Les deux lionnes, à robe jaune, l'accompagnaient en gambadant.

Sir John — Son Honneur l'a avoué depuis — sentit son cœur battre violemment. Son œil s'ouvrit démesurément, son front se rida, et il ressentit une sorte de peur convulsive à laquelle se mêlaient de l'étonnement et de l'angoisse ; mais cela ne dura pas, et il redevint promptement maître de lui. Quant à ses deux compagnons, ils étaient aussi calmes que d'habitude.

Cependant, le lion et les deux lionnes avaient senti le danger. A la vue de leur tanière barricadée, ils s'arrêtèrent. Moins de soixante pas les en séparaient. Le mâle poussa un rugissement rauque, et, suivi des deux lionnes, il se jeta dans un hallier sur la droite, un peu au-dessous de l'endroit où les chasseurs s'étaient arrêtés d'abord. On voyait distinctement ces redoutables bêtes à travers les branches, leurs flancs jaunes, leurs oreilles dressées, leurs yeux brillants.

« Les perdreaux sont là, murmura sir John à l'oreille du bushman. A chacun le sien.

— Non, répondit Mokoum à voix basse, la nichée n'est pas complète, et la détonation effrayerait les autres.

— Boschjesman, êtes-vous sûr de votre flèche à cette distance ?

— Oui, Mokoum, répondit l'indigène.

— Eh bien, au flanc gauche du mâle, et crevez-lui le cœur ! »

Le Boschjesman tendit son arc, et visa avec une grande attention à travers les broussailles. La flèche partit en sifflant. Un rugissement éclata. Le lion fit un bond et retomba à trente pas de la caverne. Là, il resta sans mouvement, et l'on put voir ses dents acérées qui se détachaient sur ses babines rouges de sang.

« Bien, Boschjesman ! » dit le chasseur.

En ce moment, les lionnes, quittant le hallier, se précipitèrent sur le corps du lion. A leurs formidables rugissements, deux autres lions, dont un vieux mâle à griffes jaunes, suivi d'une troisième lionne, apparurent au tournant du défilé. Sous l'influence d'une effroyable fureur, leur crinière noire, se hérissant, les faisait paraître gigantesques. Ils semblaient avoir acquis le double de leur volume ordinaire. Ils bondissaient en poussant des rugissements d'une incroyable intensité.

« Aux carabines, maintenant, s'écria le bushman, et tirons-les au vol, puisqu'ils ne veulent pas se poser ! »

Deux détonations éclatèrent. L'un des lions, frappé par la balle explosible du bushman, à la naissance des reins, tomba foudroyé. L'autre lion, visé par sir John, une patte cassée, se précipita vers la barricade. Les lionnes furieuses l'avaient suivi. Ces terribles animaux voulaient forcer l'entrée de la caverne, et ne pouvaient manquer de réussir si une balle ne les arrêtait pas.

Le bushman, sir John et l'indigène s'étaient retirés au fond de la tanière. Les fusils avaient été rapidement rechargés. Un ou deux coups heureux, et les fauves allaient peut-être tomber inanimés, quand une circonstance imprévue vint rendre terrible la situation des trois chasseurs.

Tout d'un coup, une épaisse fumée remplit la caverne. Une des bourres, tombée au milieu des broussailles sèches, les avait enflammées. Bientôt une nappe de flammes, développée par le vent, fut tendue entre les hommes et les animaux. Les lions reculèrent. Les chasseurs ne pouvaient plus demeurer dans leur gîte sans s'exposer à être étouffés en quelques instants.

C'était une position terrible. Il n'y avait pas à hésiter.

« Au dehors ! au dehors ! » s'écria le bushman qui suffoquait déjà.

Aussitôt les broussailles furent écartées avec la crosse des fusils, les pierres de la barricade furent repoussées, et les trois chasseurs, à demi étouffés, se précipitèrent au dehors au milieu du tourbillon de fumée.

L'indigène et sir John avaient à peine eu le temps de se reconnaître que tous deux étaient renversés, l'Africain d'un coup de tête, l'Anglais d'un coup de queue des lionnes encore valides. L'indigène, frappé en pleine poitrine, resta sans mouvement sur le sol. Sir John crut avoir la jambe cassée, et tomba sur les genoux. Mais au moment où l'animal revenait sur lui, une balle du bushman l'arrêta net, et, rencontrant un os, éclata dans son corps.

En ce moment, Michel Zorn, William Emery et les deux Boschjesmen, apparaissant au détour du défilé, vinrent fort à propos prendre part au combat. Deux lions et une lionne avaient succombé aux mortelles atteintes des balles et des flèches. Mais les survivants, les deux autres lionnes et le mâle, dont la patte avait été brisée par le coup de feu de sir John, étaient encore redoutables. Cependant, les rifles rayés, manœuvrés par une main sûre, faisaient en ce moment leur office. Une seconde lionne tomba, frappée de deux balles à la tête et au flanc. Le lion blessé et la troisième lionne, faisant alors un

bond prodigieux et passant par-dessus la tête des jeunes gens, disparurent au tournant du défilé, salués une dernière fois de deux balles et de deux flèches.

Un hurrah triomphant fut poussé par sir John. Les lions étaient vaincus. Quatre cadavres gisaient sur le sol.

On s'empressa près de sir John Murray. Avec l'aide de ses amis, il put se relever. Sa jambe, fort heureusement, n'était pas cassée. Quant à l'indigène que le coup de tête avait renversé, il revint à lui après quelques instants, n'ayant été qu'étourdi par cette violente poussée. Une heure plus tard, la petite troupe avait regagné le taillis où les chevaux étaient attachés, sans avoir revu le couple fugitif.

« Eh bien, dit alors Mokoum à sir John. Votre Honneur est-il satisfait de nos perdreaux d'Afrique ?

— Enchanté, répondit sir John, en se frottant sa jambe contusionnée, enchanté ! Mais quelle queue ils ont, mon digne bushman, quelle queue ! »

XIII
Avec l'aide du feu

Cependant, le colonel Everest et ses collègues attendaient au campement, avec une impatience bien naturelle, le résultat du combat engagé au pied de la montagne. Si les chasseurs réussissaient, la mire lumineuse devait apparaître dans la nuit. On conçoit l'inquiétude dans laquelle les savants passèrent toute cette journée.

Leurs instruments étaient prêts. Ils les avaient braqués sur le sommet du mont, de manière à embrasser dans le champ des lunettes une lueur si faible qu'elle fût ! Mais cette lueur se montrerait-elle ?

Le colonel Everest et Mathieu Strux ne purent goûter un instant de repos. Seul, Nicolas Palander, toujours absorbé, oubliait dans ses calculs qu'un danger quelconque menaçait ses collègues. Qu'on ne l'accuse pas d'égoïsme original ! – On pouvait dire de lui ce que l'on disait du mathématicien Bouvard : « Il ne cessera de calculer que lorsqu'il cessera de vivre. » Et même, peut-être, Nicolas Palander ne cessera-t-il de vivre que parce qu'il cessera de calculer !

Il faut dire, cependant, qu'au milieu de leurs inquiétudes, les deux savants anglais et russes songèrent au moins autant à l'accomplissement de leurs opérations géodésiques qu'aux dangers courus par leurs amis. Ces dangers, ils les eussent bravés eux-mêmes, n'oubliant point qu'ils appartenaient à la science militante. Mais le résultat les préoccupait. Un obstacle physique, s'il n'était surmonté, pouvait arrêter définitivement leurs travaux, ou du moins les retarder. L'anxiété des deux astronomes, pendant cette interminable journée, se comprendra donc facilement.

Enfin la nuit vint. Le colonel Everest et Mathieu Strux, devant observer chacun pendant une demi-heure, se postèrent tour à tour devant l'oculaire de la lunette. Au milieu de cette obscurité, ils ne prononçaient pas une parole, et se relayaient avec une exactitude chronométrique. C'était à qui apercevrait le premier ce signal si impatiemment attendu.

Les heures s'écoulèrent. Minuit passa. Rien n'avait encore apparu sur ce sombre piton.

Enfin, à deux heures trois quarts, le colonel Everest, se relevant froidement, dit ce simple mot :

« Le signal ! »

Le hasard l'avait favorisé, au grand dépit de son collègue russe, qui dut constater lui-même l'apparition du réverbère. Mais Mathieu Strux, se contenant, ne prononça pas un seul mot.

Le relèvement fut alors pris avec de méticuleuses précautions, et, après des observations souvent réitérées, l'angle mesuré donna 73°58'42"413. On voit que cette mesure était obtenue jusqu'aux millièmes de seconde, c'est-à-dire avec une exactitude pour ainsi dire absolue.

Le lendemain, 2 juillet, le camp fut levé dès l'aube. Le colonel Everest voulait rejoindre ses compagnons le plus tôt possible. Il avait hâte de savoir si cette conquête de la montagne n'avait pas été trop chèrement achetée. Les chariots se mirent en route sous la conduite du foreloper, et à midi, tous les membres de la commission scientifique étaient réunis. Pas un d'eux, on le sait, ne manquait à l'appel. Les incidents divers de combat contre les lions furent racontés et les vainqueurs très chaudement félicités.

Pendant cette matinée, sir John Murray, Michel Zorn et William Emery avaient mesuré du haut de la montagne la distance angulaire d'une nouvelle station située à quelques milles dans l'ouest de la méridienne. Les opérations pouvaient donc continuer sans retard. Les astronomes, ayant également pris la hauteur zénithale de quelques étoiles, calculèrent la latitude du piton, d'où Nicolas Palander conclut qu'une seconde portion de l'arc méridien, équivalente à un degré, avait été obtenue par les dernières mesures trigonométriques. C'étaient donc, en somme, deux degrés déduits depuis la base pour une série de quinze triangles.

Les travaux furent immédiatement poursuivis. Ils s'accomplissaient dans des conditions satisfaisantes, et l'on devait espérer qu'aucun obstacle physique ne s'opposerait à leur entier achèvement. Pendant cinq semaines, le ciel se montra propice aux observations. La contrée, un peu accidentée, se prêtait à l'établissement des mires. Sous la direction du bushman, les campements s'organisaient régulièrement. Les vivres ne manquaient pas. Les chasseurs de la caravane, sir John en tête, ravitaillaient sans cesse l'expédition. L'honorable Anglais n'en était plus à compter les variétés d'antilopes ou les buffles qui tombaient sous ses balles. Tout marchait au mieux. La santé générale était satisfaisante. L'eau ne s'était pas encore raréfiée dans les plis de terrain. Enfin, les discussions entre le colonel Everest et Mathieu Strux semblaient se modérer, au grand plaisir de leurs compagnons. Chacun rivalisait de zèle, et l'on pouvait déjà prévoir le succès définitif de l'entreprise, quand une difficulté locale vint gêner momentanément les observations et raviver les rivalités nationales.

C'était le 11 août. Depuis la veille, la caravane parcourait un pays boisé, dont les forêts et les taillis se succédaient de mille en mille. Ce matin-là, les chariots s'arrêtèrent devant une immense agrégation de hautes futaies, dont les limites devaient s'étendre bien au-delà de l'horizon. Rien de plus imposant que ces masses de verdure qui formaient comme un rideau de cent pieds tendu au-dessus du sol. Aucune description ne donnerait une idée exacte de ces beaux arbres qui composaient une forêt africaine. Là s'entremêlaient les essences les plus diverses, le « gounda », le « mosokoso », le « moukomdou », bois recherché pour les constructions navales, les ébéniers à gros troncs dont l'écorce recouvre une chair absolument noire, le « bauhinia » aux fibres de fer, des « buchneras » aux fleurs couleur d'orange, de magnifiques « roodeblatts », au tronc blanchâtre et couronné de feuillage cramoisi d'un effet indescriptible, des gaïacs par milliers dont quelques-uns mesuraient jusqu'à quinze pieds de tour. De ce massif profond sortait un murmure, à la fois émouvant et grandiose, qui rappelait le bruit de ressac sur une côte sablonneuse. C'était le vent qui, passant au travers de cette puissante ramure, venait expirer sur la lisière de la forêt géante.

A une question qui lui fut alors posée par le colonel Everest, le chasseur répondit :

« C'est la forêt de Ravouma !

— Quelle est sa largeur de l'est à l'ouest ?

— Quarante-cinq milles.

— Et sa profondeur du sud au nord ?

— Dix milles environ.

— Et comment passerons-nous au travers de cette masse épaisse d'arbres ?

— Nous ne passerons pas au travers, répondit Mokoum. Il n'y a pas de sentier praticable. Nous n'avons qu'une ressource : tourner la forêt soit par l'est, soit par l'ouest. »

Les chefs de l'expédition, quand ils eurent entendu les réponses si précises du bushman, se trouvèrent fort embarrassés. On ne pouvait évidemment disposer des points de mire dans cette forêt qui occupait un terrain absolument plane. Quant à la tourner, c'est-à-dire à s'écarter de vingt à vingt-cinq milles d'un côté ou de l'autre de la méridienne, c'était singulièrement accroître les travaux de la triangulation, et ajouter peut-être une dizaine de triangles auxiliaires à la série trigonométrique.

Une difficulté réelle, un obstacle naturel surgissait donc. La question était importante et difficile à résoudre. Dès que le campement eut été établi à l'ombre de magnifiques bouquets d'arbres distants d'un demi-mille de la lisière même de la forêt, les astronomes furent convoqués en conseil, dans le but de prendre une décision. La question de trianguler à travers l'immense massif d'arbres fut aussitôt écartée. Il était évident qu'on ne pouvait opérer dans de pareilles conditions. Restait donc la proposition de tourner l'obstacle, soit par la gauche, soit par la droite, l'écart étant à peu près le même de chaque côté, puisque la méridienne attaquait la forêt par son milieu.

Les membres de la commission anglo-russe conclurent donc à ce que l'infranchissable barrière fût tournée. Que ce fût par l'est ou par l'ouest, peu importait. Or, il arriva précisément que sur cette question futile, une discussion violente s'éleva entre le colonel Everest et Mathieu Strux. Les deux rivaux, qui s'étaient contenus depuis quelque temps, retrouvèrent là toute leur ancienne animosité, qui passa seulement de l'état latent à l'état sensible, et finit par dégénérer en une altercation grave. En vain, leurs collègues tentèrent de s'interposer. Les deux chefs ne voulurent rien entendre. L'un, l'Anglais, tenait pour la droite, direction qui rapprochait l'expédition de la route suivie par David Livingstone, lors de son premier voyage aux chutes du Zambèse, et c'était au moins une raison, car ce pays, plus connu et plus fréquenté, pouvait offrir certains avantages. Quant au Russe, il opinait pour la gauche, mais évidemment pour contrecarrer l'opinion du colonel. Si le colonel eût opté pour la gauche, il aurait tenu pour la droite.

La querelle alla fort loin, et l'on pouvait prévoir le moment où une scission se produirait entre les membres de la commission.

Michel Zorn et William Emery, sir John Murray et Nicolas Palander n'y pouvant rien, quittèrent la conférence, et laissèrent les deux chefs aux prises. Tel était leur entêtement que l'on devait tout craindre, même que les travaux, interrompus en ce point, se continuassent par deux séries de triangles obliques.

La journée se passa sans amener aucun rapprochement entre les deux opinions opposées.

Le lendemain, 12 août, sir John, prévoyant que les entêtés ne s'accorderaient pas encore, alla trouver le

153

bushman, et lui proposa de battre les environs. Pendant ce temps, les deux astronomes arriveraient peut-être à s'entendre. En tout cas, un morceau de venaison fraîche ne serait pas à dédaigner.

Mokoum, toujours prêt, siffla son chien Top, et les deux chasseurs, battant le taillis, fouillant la lisière du bois, s'aventurèrent, moitié causant, moitié quêtant, à quelques milles du campement.

Tout naturellement, la conversation roula sur l'incident qui empêchait la continuation des travaux géodésiques.

« J'imagine, dit le bushman, que nous voilà campés pour quelque temps sur la lisière de la forêt de Ravouma. Nos deux chefs ne sont point près de céder l'un à l'autre. Que Votre Honneur me permette cette comparaison, mais l'un tire à droite et l'autre à gauche, comme des bœufs qui ne s'entendent pas, et de cette façon, la machine ne peut marcher.

— C'est une circonstance fâcheuse, répondit sir John Murray, et je crains bien que cet entêtement n'amène une séparation complète. N'étaient les intérêts de la science, cette rivalité d'astronomes me laisserait assez indifférent, brave Mokoum. Les giboyeuses contrées de l'Afrique ont de quoi me distraire, et jusqu'au moment où les deux rivaux seront tombés d'accord, je courrai la campagne, mon fusil à la main.

— Mais, cette fois, Votre Honneur pense-t-il qu'ils s'accordent sur ce point ? Pour mon compte, je ne l'espère pas, et comme je vous le disais, notre halte peut se prolonger indéfiniment.

— Je le crains, Mokoum, répondit sir John. Nos deux chefs se disputent sur une question malheureusement futile, et qu'on ne peut résoudre scientifiquement. Ils ont tous les deux raison et tous les deux tort. Le colonel Everest a catégoriquement déclaré qu'il ne céderait pas. Mathieu Strux a juré qu'il résisterait aux prétentions du colonel, et ces deux savants, qui se seraient sans doute rendus devant un argument scientifique, ne consentiront jamais à faire quelque concession sur une pure question d'amour-propre. Il est vraiment regrettable, dans l'intérêt de nos travaux, que cette forêt soit coupée par le parcours de la méridienne !

— Au diable les forêts ! répliqua le bushman, quand il s'agit d'opérations pareilles ! Mais aussi, quelle idée ont-ils, ces savants, de mesurer la longueur ou la largeur de la terre ? En seront-ils plus avancés quand ils l'auront calculée ainsi par pieds et par pouces ? Pour mon compte, Votre Honneur, j'aime mieux ignorer toutes ces choses ! J'aime mieux croire immense, infini, ce globe que j'habite, et j'estime que c'est le rapetisser que d'en connaître les dimensions exactes ! Non, sir John, je vivrais cent ans, que je n'admettrai jamais l'utilité de vos opérations ! »

Sir John ne put s'empêcher de sourire. Souvent cette thèse avait été débattue entre le chasseur et lui, et cet ignorant enfant de la nature, ce libre coureur des bois et des plaines, cet intrépide traqueur de bêtes fauves ne pouvait évidemment comprendre l'intérêt scientifique attaché à une triangulation. Quelquefois, sir John l'avait pressé à cet égard, mais le bushman lui répondait par des arguments empreints d'une véritable philosophie naturelle, qu'il présentait avec une sorte d'éloquence sauvage, et dont lui, moitié savant, moitié chasseur, il appréciait tout le charme.

En causant ainsi, sir John et Mokoum poursuivaient le petit gibier de la plaine, des lièvres de roches, des « giosciures », une espèce nouvelle de rongeurs, reconnue par Ogilly sous le nom de « graphycerus elegans », quelques pluviers au cri aigu, et des compagnies de perdrix dont le plumage est brun, jaune et noir. Mais on peut dire que sir John faisait seul les frais de cette chasse. Le bushman tirait peu. Il semblait préoccupé de cette rivalité des deux astronomes, qui devait nécessairement compromettre le succès de l'expédition. L'incident « de la forêt » le tracassait certainement plus qu'il ne tracassait sir John lui-même. Le gibier, si varié qu'il fût, ne provoquait de sa part qu'une vague attention. Grave indice chez un tel chasseur.

En effet, une idée, fort indécise d'abord, travaillait l'esprit du bushman, et peu à peu, cette idée prit une forme plus nette dans son cerveau. Sir John l'entendait se parler à lui-même, s'interroger, se répondre. Il le voyait, le fusil au repos, inattentif à toutes les avances du gibier de plume ou de poil, rester immobile, et tout aussi absorbé que l'eût été Nicolas Palander lui-même à la recherche d'une erreur de logarithme. Mais sir John respecta cette disposition d'esprit et ne voulut point arracher son compagnon à une préoccupation si grave.

Deux ou trois fois, pendant cette journée, Mokoum s'approcha de sir John, et lui dit :

« Ainsi, Votre Honneur pense que le colonel Everest et Mathieu Strux ne parviendront pas à se mettre d'accord ? »

A cette question, sir John répondait invariablement que l'accord lui paraissait difficile, et qu'une scission entre les Anglais et les Russes était à craindre.

Une dernière fois, vers le soir, à quelques milles en avant du campement, Mokoum posa la même question et reçut la même réponse. Mais alors il ajouta :

« Eh bien, que votre Honneur se tranquillise, j'ai trouvé le moyen de donner raison à la fois à nos deux savants !

— Vraiment, mon digne chasseur ? répondit sir John assez surpris.

— Oui ! je le répète, sir John. Avant demain, le colonel Everest et monsieur Strux n'auront plus aucun sujet de se disputer, si le vent est favorable.

— Que voulez-vous dire, Mokoum ?

— Je m'entends, sir John.

— Eh bien, faites cela, Mokoum ! Vous aurez bien mérité de l'Europe savante, et votre nom sera consigné aux annales de la science !

— C'est beaucoup d'honneur pour moi, sir John ». répondit le bushman, et, sans doute, ruminant son projet. il n'ajouta plus un mot.

Sir John respecta ce mutisme et ne demanda aucune explication au bushman. Mais véritablement, il ne pouvait deviner par quel moyen son compagnon prétendait accorder les deux entêtés qui compromettaient si ridiculement le succès de l'entreprise.

Les chasseurs rentrèrent au campement vers cinq heures du soir. La question n'avait pas fait un pas. et même la situation respective du Russe et de l'Anglais s'était envenimée. L'intervention, souvent répétée, de Michel Zorn et de William Emery n'avait amené aucun résultat. Des interpellations personnelles, échangées à plusieurs reprises entre les deux rivaux, des insinuations regrettables, formulées de part et d'autre, rendaient maintenant tout rapprochement impossible. On pouvait même craindre que la querelle, ainsi montée de ton, n'allât jusqu'à une provocation. L'avenir de la triangulation était donc jusqu'à un certain point compromis, à moins que chacun de ces savants ne la continuât isolément et pour son propre compte. Mais dans ce cas, une séparation immédiate s'en fût suivie, et cette perspective attristait surtout les deux jeunes gens, si habitués l'un à l'autre, si intimement liés par une sympathie réciproque.

Sir John comprit ce qui se passait en eux. Il devina bien la cause de leur tristesse. Peut-être eût-il pu les rassurer en leur rapportant les paroles du bushman ; mais, quelque confiance qu'il eût en ce dernier, il ne voulait pas causer une fausse joie à ses jeunes amis, et il résolut d'attendre jusqu'au lendemain l'accomplissement des promesses du chasseur.

Celui-ci, pendant la soirée, ne changea rien à ses occupations habituelles. Il organisa la garde du campement ainsi qu'il avait l'habitude de le faire. Il surveilla la disposition des chariots, et prit toutes les mesures nécessaires pour assurer la sécurité de la caravane.

Sir John dut croire que le chasseur avait oublié sa promesse. Avant d'aller prendre quelque repos, il voulut au moins tâter le colonel Everest sur le compte de l'astronome russe. Le colonel se montra inébranlable, entier dans ses droits, ajoutant qu'au cas où Mathieu Strux ne se rendrait pas, les Anglais et les Russes se sépareraient, attendu « qu'il est des choses que l'on ne peut supporter, même de la part d'un collègue ».

Là-dessus, sir John Murray, très inquiet, alla se coucher, et, très fatigué de sa journée de chasse, il ne tarda pas à s'endormir.

Vers onze heures du soir, il fut subitement réveillé. Une agitation insolite s'était emparée des indigènes. Ils allaient et venaient au milieu du camp.

Sir John se leva aussitôt, et trouva tous ses compagnons sur pied.

La forêt était en feu.

Quel spectacle ! Dans cette nuit obscure, sur le fond noir du ciel, le rideau de flammes semblait s'élever jusqu'au zénith. En un instant, l'incendie s'était développé sur une largeur de plusieurs milles.

Sir John Murray regarda Mokoum, qui se tenait près de lui, immobile. Mais Mokoum ne répondit pas à son regard. Sir John avait compris. Le feu allait frayer un chemin aux savants à travers cette forêt plusieurs fois séculaire.

Le vent, soufflant du sud, favorisait les projets du bushman. L'air se précipitant comme s'il fût sorti des

flancs d'un ventilateur, activait l'incendie et saturait d'oxygène ce brasier ardent. Il avivait les flammes, il arrachait des brandons, des branches ignescentes, des charbons incandescents, et il les portait au loin, dans les taillis épais qui devenaient aussitôt de nouveaux centres d'embrasement. Le théâtre du feu s'élargissait et se creusait de plus en plus. Une chaleur intense se développait jusqu'au campement. Le bois mort, entassé sous les sombres ramures, pétillait. Au milieu des nappes de flammes, quelques éclats plus vifs produisaient soudain des épanouissements de lumière. C'étaient les arbres résineux qui s'allumaient comme des torches. De là, de véritables arquebusades, des pétillements, des crépitations distinctes, suivant la nature des essences forestières, puis des détonations produites par de vieux troncs de bois de fer qui éclataient comme des bombes. Le ciel reflétait cet embrasement gigantesque. Les nuages, d'un rouge ardent, semblaient prendre feu comme si l'incendie se fût propagé jusque dans les hauteurs du firmament. Des gerbes d'étincelles constellaient la voûte noire au milieu des tourbillons d'une épaisse fumée.

Puis, des hurlements, des ricanements, des beuglements d'animaux se firent entendre sur tous les côtés de la forêt incendiée. Des ombres passaient, des troupes effarées, filant en toute direction, de grands spectres sombres que leurs rugissements formidables trahissaient dans la bande des fuyards. Une insurmontable épouvante entraînait ces hyènes, ces buffles, ces lions, ces éléphants, jusqu'aux dernières limites du sombre horizon.

L'incendie dura toute la nuit, et le jour suivant, et l'autre nuit encore. Et quand reparut le matin du 14 août, un vaste espace, dévoré par le feu, rendait la forêt praticable sur une largeur de plusieurs milles. La voie était frayée à la méridienne, et cette fois, l'avenir de la triangulation venait d'être sauvé par l'acte audacieux du chasseur Mokoum.

XIV
Une déclaration de guerre

Le travail fut repris le jour même. Tout prétexte de discussion avait disparu. Le colonel Everest et Mathieu Strux ne se pardonnèrent pas, mais ils reprirent ensemble le cours des opérations géodésiques.

Sur la gauche de cette large trouée, pratiquée par l'incendie, s'élevait un monticule très visible, à une distance de cinq milles environ... Son point culminant pouvait être pris pour mire et servir de sommet au nouveau triangle. L'angle qu'il faisait avec la dernière station fut donc mesuré, et, le lendemain, toute la caravane se porta en avant à travers la forêt incendiée.

C'était une route macadamisée de charbons. Le sol était encore brûlant ; des souches fumaient çà et là, et il s'élevait une buée chaude tout imprégnée de vapeurs. En maint endroit, des cadavres carbonisés, appartenant à des animaux surpris dans leur retraite, et que la fuite n'avait pu soustraire aux fureurs du feu. Des fumées noires, qui tourbillonnaient à de certaines places, indiquaient encore l'existence de foyers partiels. On pouvait même croire que l'incendie n'était pas éteint, et que sous l'action du vent, reprenant bientôt avec une nouvelle force, il achèverait de dévorer la forêt tout entière.

C'est pourquoi la commission scientifique pressa sa marche en avant. La caravane, prise dans un cercle de feu, eût été perdue. Elle avait hâte de traverser ce théâtre de l'incendie dont les derniers plans latéraux brûlaient encore. Mokoum excita donc le zèle des conducteurs de chariot, et, vers le milieu de la journée, un campement était établi au pied du monticule déjà relevé au cercle répétiteur.

La masse rocheuse qui terminait cette extumescence du sol semblait avoir été disposée par la main de l'homme. C'était comme un dolmen, un assemblage de pierres druidiques, qu'un archéologue eût été fort surpris de rencontrer en cet endroit. Un énorme grès conique dominait tout l'ensemble, et terminait ce monument primitif qui devait être un autel africain.

Les deux jeunes astronomes et sir John Murray voulurent visiter cette bizarre construction. Par une des pentes du monticule, ils s'élevèrent jusqu'au plateau supérieur. Le bushman les accompagnait.

Les visiteurs n'étaient plus qu'à vingt pas du dolmen, quand un homme, jusqu'alors abrité derrière l'une des pierres de la base, apparut un instant ; puis, descendant le monticule et roulant pour ainsi dire sur lui-même, il se déroba rapidement sous un épais taillis que le feu avait respecté.

Le bushman ne vit cet homme qu'un instant, mais cet instant lui suffit à le reconnaître.

« Un Makololo ! » s'écria-t-il, et il se précipita sur les traces du fugitif.

Sir John Murray, entraîné par ses instincts, suivit son ami le chasseur. Tous les deux battirent le bois sans apercevoir l'indigène. Celui-ci avait gagné la forêt dont il connaissait les moindres sentiers, et le plus habile dépisteur n'aurait pu le rejoindre.

Le colonel Everest, dès qu'il fut instruit de l'incident, manda le bushman et l'interrogea à ce sujet. Quel était cet indigène ? que faisait-il en cet endroit ? Pourquoi, lui, s'était-il jeté sur les traces du fugitif ?

« C'est un Makololo, colonel, répondit Mokoum, un indigène des tribus du nord qui hantent les affluents du Zambèse. C'est un ennemi, non seulement de nos Bosch-jesmen, mais un pillard redouté de tout voyageur qui se hasarde dans le centre de l'Afrique australe. Cet homme nous épiait, et nous aurons peut-être lieu de regretter de n'avoir pu nous emparer de sa personne.

— Mais, bushman, reprit le colonel Everest, qu'avons-nous à redouter d'une bande de ces voleurs ? Ne sommes-nous pas en nombre suffisant pour résister ?

— En ce moment, oui, répliqua le bushman, mais ces tribus pillardes se rencontrent plus fréquemment dans le nord, et là, il est difficile de leur échapper. Si ce Makololo est un espion — ce qui ne me semble pas douteux —, il ne manquera pas de jeter quelques centaines de pillards sur notre route, et quand ils y seront, colonel, je ne donnerai pas un farthing de tous vos triangles ! »

Le colonel Everest fut très contrarié de cette rencontre. Il savait que le bushman n'était point homme à exagérer le danger, et qu'il fallait tenir compte de ses observations. Les intentions de l'indigène ne pouvaient être que suspectes. Son apparition subite, sa fuite immédiate démontraient qu'il venait d'être pris en flagrant délit d'espionnage. Il paraissait donc impossible que la présence de la commission anglo-russe ne fût pas promptement dénoncée aux tribus du nord. En tout cas, le mal était alors sans remède. On résolut seulement d'éclairer avec plus de sévérité la marche de la caravane, et les travaux de la triangulation furent continués.

Au 17 août, un troisième degré de la méridienne avait été obtenu. De bonnes observations de latitude déterminèrent exactement le point atteint. Les astronomes avaient alors mesuré trois degrés de l'arc, qui avaient nécessité la formation de vingt-deux triangles depuis le point extrême de la base australe.

Vérification faite de la carte, on reconnut que la bourgade de Kolobeng n'était située qu'à une centaine de milles dans le nord-est de la méridienne. Les astronomes, réunis en conseil, résolurent d'aller prendre quelques jours de repos en ce village, dans lequel ils pourraient sans doute recueillir quelques nouvelles d'Europe. Depuis près de six mois, ils avaient quitté les bords de la rivière d'Orange, et, perdus dans ces solitudes de l'Afrique australe, ils étaient sans communication avec le monde civilisé. A Kolobeng, bourgade assez importante, station principale de missionnaires, ils parviendraient peut-être à renouer le lien civil brisé entre l'Europe et eux. En cet endroit, la caravane se referait aussi de ses fatigues, et les approvisionnements pourraient être en partie renouvelés.

L'inébranlable pierre qui avait servi de mire lors de la dernière observation fut prise comme point d'arrêt de cette première partie du travail géodésique. A ce jalon fixe devaient recommencer les observations subséquentes. Sa situation en latitude fut rigoureusement déterminée. Le colonel Everest, assuré de ce repère, donna le signal du départ, et toute la caravane se dirigea vers Kolobeng.

Les Européens arrivèrent à cette bourgade le 22 août, après un voyage dépourvu de tout incident. Kolobeng n'est qu'un amas de cases indigènes, dominé par l'établissement des missionnaires. Ce village, également nommé Litoubarouba sur certaines cartes, s'appelait autrefois Lepelolé. C'est là que le docteur David Livingstone s'installa pendant plusieurs mois, en l'année 1843, et qu'il se familiarisa avec les habitudes de ces Béchuanas, plus spécialement désignés sous le nom de Bakouins dans cette partie de l'Afrique australe.

Les missionnaires reçurent très hospitalièrement les membres de la commission scientifique. Ils mirent à leur disposition toutes les ressources du pays. Là se voyait encore la maison de Livingstone, telle qu'elle était lorsque le chasseur Baldving la visita, c'est-à-dire ruinée et saccagée : car les Boers ne la respectèrent pas dans leur incursion de 1852.

Les astronomes, dès qu'ils eurent été installés dans la maison des révérends, s'enquirent des nouvelles d'Europe. Le père principal ne put satisfaire leur curiosité. Aucun courrier, depuis six mois, n'était parvenu à la mission. Mais sous peu de jours, on attendait un indigène, porteur de journaux et de dépêches, dont la présence avait été signalée depuis quelque temps sur les rives du haut Zambèse. Dans son opinion, l'arrivée de ce courrier ne pouvait être retardée de plus d'une semaine. C'était précisément le laps de temps que les astronomes voulaient consacrer au repos, et, cette semaine, ils la passèrent tous dans un complet « farniente », dont Nicolas Palander profita pour revoir tous ses calculs.

Quant au farouche Mathieu Strux, il fréquenta peu ses collègues anglais et se tint à l'écart. William Emery et Michel Zorn employèrent utilement leur temps en promenades aux environs de Kolobeng. La plus franche amitié les liait l'un à l'autre, ces deux jeunes gens, et ils ne croyaient pas qu'aucun événement pût jamais briser cette intimité, fondée sur l'étroite sympathie de l'esprit et du cœur.

Le 30 août, le messager, si impatiemment attendu, arriva. C'était un indigène de Kilmiane, ville située sur l'une des embouchures du Zambèse. Un navire marchand, de l'île Maurice, faisant le commerce de la gomme et de l'ivoire, avait atterri sur cette partie de la côte orientale dans les premiers jours de juillet, et déposé les dépêches dont il était porteur pour les missionnaires de Kolobeng. Ces dépêches avaient donc plus de deux mois de date, car le messager indigène n'avait pas employé moins de quatre semaines à remonter le cours du Zambèse.

Ce jour-là, un incident se produisit qui doit être raconté avec détails, car ses conséquences menacèrent gravement l'avenir de l'expédition scientifique.

Le père principal de la Mission, aussitôt l'arrivée du messager, remit au colonel Everest une liasse de journaux européens. La plupart de ces numéros provenaient de la collection du *Times*, du *Daily News* et du *Journal des Débats*. Les nouvelles qu'ils contenaient avaient, dans la circonstance, une importance toute spéciale, comme on en pourra juger.

Les membres de la commission étaient réunis dans la principale salle de la Mission. Le colonel Everest, après avoir détaché la liasse de journaux, prit un numéro du *Daily News* du 13 mai 1854, afin d'en faire la lecture à ses collègues.

Mais à peine eut-il lu le titre du premier article de ce journal, que sa physionomie changea soudain, son front se plissa, et le numéro du journal trembla dans sa main. Après quelques instants, le colonel Everest parvint à se maîtriser, et il reprit son calme habituel.

Sir John Murray se leva alors, et s'adressant au colonel Everest :

« Que vous a donc appris ce journal ? lui demanda-t-il.

— Des nouvelles graves, messieurs, répondit le colonel Everest, des nouvelles très graves, que je vais vous communiquer ! »

Le colonel tenait toujours dans sa main le numéro du *Daily News*. Ses collègues, le regard fixé sur lui, ne pouvaient se méprendre sur son attitude. Ils attendaient impatiemment qu'il prît la parole.

Le colonel se leva. Au grand étonnement de tous, et principalement de celui qui était l'objet de cette démarche, il s'avança vers Mathieu Strux, et lui dit :

« Avant de communiquer les nouvelles contenues dans ce journal, monsieur, je désirerais vous faire une observation.

— Je suis prêt à vous entendre », répondit l'astronome russe.

Le colonel Everest, d'un ton grave, lui dit alors :

« Jusqu'ici, monsieur Strux, des rivalités plus personnelles que scientifiques nous ont séparés, et ont rendu difficile notre collaboration à l'œuvre que nous avons entreprise dans un intérêt commun. Je crois qu'il faut attribuer cet état de choses uniquement à cette circonstance que nous étions placés tous les deux à la tête de cette expédition. Cette situation créait entre nous un antagonisme incessant. A toute entreprise, quelle qu'elle soit, il ne faut qu'un chef. N'est-ce pas votre avis ? »

Mathieu Strux inclina la tête en signe d'assentiment.

« Monsieur Strux, reprit le colonel, par suite de circonstances nouvelles, cette situation, pénible pour tous deux, va changer. Mais auparavant, permettez-moi de vous dire, monsieur, que j'ai pour vous une estime profonde, l'estime que mérite la place que vous occupez dans le monde savant. Je vous prie donc de croire à mes regrets de tout ce qui s'est passé entre nous. »

Ces paroles furent prononcées par le colonel Everest avec une grande dignité, et même avec une fierté singulière. On ne sentait aucun abaissement dans ces excuses volontaires, noblement exprimées.

Ni Mathieu Strux ni ses collègues ne savaient où voulait en venir le colonel Everest. Ils ne pouvaient deviner le mobile qui le faisait agir. Peut-être même, l'astronome russe, n'ayant pas, pour se prononcer ainsi, les mêmes raisons que son collègue, était-il moins disposé à oublier son ressentiment personnel. Cependant, il surmonta son antipathie, et il répondit en ces termes :

« Colonel, je pense comme vous que nos rivalités,

dont je ne veux point rechercher l'origine, ne doivent, en aucun cas, nuire à l'œuvre scientifique dont nous sommes chargés. J'éprouve également pour vous l'estime que méritent vos talents, et, autant qu'il dépendra de moi, je ferai en sorte qu'à l'avenir ma personnalité s'efface dans nos relations. Mais vous avez parlé d'un changement que les circonstances vont apporter à notre situation respective. Je ne comprends pas...

— Vous allez comprendre, monsieur Strux, répondit le colonel Everest d'un ton qui n'était pas exempt d'une certaine tristesse. Mais auparavant, donnez-moi votre main.

— La voici », répondit Mathieu Strux, non sans avoir laissé voir une légère hésitation.

Les deux astronomes se donnèrent la main, et n'ajoutèrent pas une parole.

« Enfin ! s'écria sir John Murray, vous voilà donc amis !

— Non, sir John ! répondit le colonel Everest, abandonnant la main de l'astronome russe, nous sommes désormais ennemis ! ennemis séparés par un abîme ! ennemis qui ne doivent plus se rencontrer, même sur le terrain de la science ! »

Puis, se retournant vers ses collègues :

« Messieurs, ajouta-t-il, la guerre est déclarée entre l'Angleterre et la Russie. Voici les journaux anglais, russes et français qui rapportent cette déclaration ! »

En effet, à ce moment, la guerre de 1854 était commencée. Les Anglais, unis aux Français et aux Turcs, luttaient devant Sébastopol. La question d'Orient se traitait à coups de canon dans la mer Noire.

Les dernières paroles du colonel Everest produisirent l'effet d'un coup de foudre. L'impression fut violente chez ces Anglais et ces Russes qui possèdent à un degré rare le sentiment de la nationalité. Ils s'étaient levés subi-

tement. Ces seuls mots : « La guerre est déclarée ! »
avaient suffi. Ce n'étaient plus des compagnons, des collègues, des savants unis pour l'accomplissement d'une
œuvre scientifique, c'étaient des ennemis qui déjà se
mesuraient du regard, tant ces duels de nation à nation
ont d'influence sur le cœur des hommes !

Un mouvement instinctif avait éloigné ces Européens
les uns des autres. Nicolas Palander lui-même subissait
l'influence commune. Seuls, peut-être, William Emery et
Michel Zorn se regardaient encore avec plus de tristesse
que d'animosité, et regrettaient de n'avoir pu se donner
une dernière poignée de main avant la communication
du colonel Everest !

Aucune parole ne fut prononcée. Après avoir échangé
un salut, les Russes et les Anglais se retirèrent.

Cette situation nouvelle, cette séparation des deux
partis allait rendre plus difficile la continuation des travaux géodésiques, mais non les interrompre. Chacun,
dans l'intérêt de son pays, voulut poursuivre l'opération
commencée. Toutefois, les mesures devaient porter
maintenant sur deux méridiennes différentes. Dans une
entrevue qui eut lieu entre Mathieu Strux et le colonel
Everest, ces détails furent réglés. Le sort décida que les
Russes continueraient à opérer sur la méridienne déjà
parcourue. Quant aux Anglais, tenant pour acquis le travail fait en commun, ils devaient choisir à soixante ou
quatre-vingts milles dans l'ouest un autre arc qu'ils ratta-
cheraient au premier par une série de triangles auxiliaires ; puis, ils poursuivraient leur triangulation dans
ces conditions, et ils la continueraient jusqu'au vingtième parallèle.

Toutes ces questions furent résolues entre les deux
savants, et, il faut le dire, sans provoquer aucun éclat.
Leur rivalité personnelle s'effaçait devant la grande rivalité nationale. Mathieu Strux et le colonel Everest

n'échangèrent pas un mot malsonnant et se tinrent dans les plus strictes limites des convenances.

Quant à la caravane, il fut décidé qu'elle se partagerait en deux troupes, chaque troupe devant conserver son matériel. Mais le sort attribua aux Russes la possession de la chaloupe à vapeur, qui, évidemment, ne pouvait se diviser.

Le bushman, très attaché aux Anglais et particulièrement à sir John, conserva la direction de la caravane anglaise. Le foreloper, homme également fort entendu, fut placé à la tête de la caravane russe. Chaque parti garda ses instruments, ainsi que l'un des registres tenus en double, sur lesquels les résultats chiffrés des opérations avaient été consignés jusqu'alors.

Le 31 août, les membres de l'ancienne commission internationale se séparèrent. Les Anglais prirent les devants, afin de rattacher à la dernière station leur nouvelle méridienne. Ils quittèrent donc Kolobeng à huit heures du matin, après avoir remercié les pères de la Mission de l'hospitalité qu'ils avaient trouvée dans leur établissement.

Et si, quelques instants avant le départ des Anglais, l'un de ces missionnaires fût entré dans la chambre de Michel Zorn, il eût vu William Emery serrant la main à son ami d'autrefois, maintenant son ennemi, de par la volonté de Leurs Majestés la reine et le tzar !

XV
Un degré de plus

La séparation était accomplie. Les astronomes, poursuivant le travail géodésique, allaient être plus surchar-
gés, mais l'opération en elle-même ne devait pas en
souffrir. La même précision, la même rigueur seraient
apportées dans la mesure de la nouvelle méridienne, les
vérifications seraient faites avec autant de soin. Seulement, les trois savants anglais, se partageant la besogne,
iraient moins vite en avant, et au prix de plus de fatigues.
Mais ils n'étaient pas gens à s'épargner. Ce que les
Russes allaient accomplir de leur côté, ils voulaient l'accomplir sur l'arc du nouveau méridien. L'amour-propre
national devait, au besoin, les soutenir dans cette tâche
longue et pénible. Trois opérateurs se trouvaient maintenant dans la nécessité de faire l'ouvrage de six. De là,
nécessité de consacrer à l'entreprise toutes les pensées, et
tous les instants. Nécessité pour William Emery de
moins s'abandonner à ses rêveries, et à sir John Murray
de ne plus autant étudier, le fusil à la main, la faune de
l'Afrique australe.

Un nouveau programme, attribuant à chacun des trois
astronomes une part du travail, fut immédiatement
arrêté. Sir John Murray et le colonel se chargèrent des
observations zénithales et géodésiques. William Emery
remplaça Nicolas Palander dans l'emploi de calculateur.

Il va sans dire que le choix des stations, la disposition des mires étaient décidés en commun, et qu'il n'y avait plus à craindre qu'un dissentiment quelconque s'élevât entre ces trois savants. Le brave Mokoum restait, comme devant, le chasseur et le guide de la caravane. Les six matelots anglais qui formaient la moitié de l'équipage du *Queen and Tzar* avaient naturellement suivi leurs chefs, et si la chaloupe à vapeur était restée à la disposition des Russes, le canot de caoutchouc, très suffisant pour franchir les simples cours d'eau, faisait partie du matériel anglais. Quant aux chariots, le partage s'était opéré, suivant la nature des approvisionnements qu'ils portaient. Le ravitaillement des deux caravanes, et même leur confort se trouvaient donc assurés. Quant aux indigènes formant le détachement dirigé par le bushman, ils s'étaient séparés en deux troupes de nombre égal, non sans avoir montré, par leur attitude, que cette séparation leur déplaisait. Peut-être avaient-ils raison, au point de vue de la sécurité générale. Ces boschjesmen se voyaient entraînés loin des régions qui leur étaient familières, loin des pâturages et des cours d'eau qu'ils avaient l'habitude de fréquenter, vers une contrée septentrionale sillonnée de tribus errantes, malheureusement hostiles aux Africains du Sud, et, dans ces conditions, il leur convenait peu de diviser leurs forces. Mais enfin, le bushman et le foreloper aidant, ils avaient consenti au fractionnement de la caravane en deux détachements, qui, d'ailleurs — et ce fut la raison dont ils se montrèrent le plus touchés —, devaient opérer à une distance relativement rapprochée l'un de l'autre et dans la même région.

En quittant Kolobeng, le 31 août, la troupe du colonel Everest se dirigea vers ce dolmen qui avait servi de point de mire aux dernières observations. Elle rentra donc dans la forêt incendiée, et elle arriva au monticule. Les opérations furent reprises le 2 septembre. Un grand triangle, dont le sommet alla s'appuyer sur la gauche à un pylône dressé sur une extumescence du sol, permit aux observateurs de se porter immédiatement de dix ou douze milles dans l'ouest de l'ancienne méridienne.

Six jours plus tard, le 8 septembre, la série des triangles auxiliaires se trouvait achevée, et le colonel Everest, d'accord avec ses collègues, et vérification faite des cartes, choisissait le nouvel arc du méridien que des mesures ultérieures devaient calculer jusqu'à la hauteur du vingtième parallèle sud. Ce méridien se trouvait situé à un degré dans l'ouest du premier. C'était le vingt-troisième compté à l'est du méridien de Greenwich. Les Anglais ne devaient donc pas opérer à plus de soixante milles des Russes, mais cette distance était suffisante pour que leurs triangles ne vinssent pas à se croiser. Dans ces conditions, il était improbable que les deux partis se rencontrassent dans les mesures trigonométriques, et improbable, par conséquent, que le choix d'une mire devînt le motif d'une discussion ou peut-être d'une collision regrettable.

Le pays que parcoururent pendant tout le mois de septembre les observateurs anglais, était fertile et accidenté, peu peuplé cependant. Il favorisait la marche en avant de la caravane. Le ciel était très beau, très clair, sans brouillards et sans nuages. Les observations s'accomplissaient facilement. Peu de forêts importantes, des taillis largement espacés, de vastes prairies dominées çà et là par quelques ressauts du sol qui se prêtaient à l'établissement des mises, soit de nuit, soit de jour, et au bon fonctionnement des instruments. C'était, en même temps, une région admirablement pourvue de toutes les productions de la nature. La plupart des fleurs attiraient par leurs vifs parfums des essaims de scarabées, et plus particulièrement une sorte d'abeilles, peu différentes des abeilles européennes, qui déposaient dans les fentes des rocs ou les fissures des troncs un miel blanc, très liquide et d'un goût délicieux. Quelques grands animaux se hasardaient parfois la nuit aux environs des campements. C'étaient des girafes, diverses variétés d'antilopes, quelques fauves, hyènes ou rhinocéros, des éléphants aussi. Mais sir John ne voulait plus se laisser distraire. Sa main maniait la lunette de l'astronome, et non plus le rifle du chasseur.

Dans ces circonstances, Mokoum et quelques indigènes remplissaient l'office de pourvoyeurs, mais on peut croire que la détonation de leurs armes faisait battre le pouls de Son Honneur. Sous les coups du bushman tombèrent deux ou trois grands buffles des prairies, ces Bokolokolos des Bétjuanas, qui mesurent quatre mètres du museau à la queue, et deux mètres du sabot à l'épaule. Leur peau noire présentait des reflets bleuâtres. C'étaient de formidables animaux, à membres courts et vigoureux, à tête petite, aux yeux sauvages et dont le front farouche se couronnait d'épaisses cornes noires. Excellent surcroît de venaison fraîche qui variait l'ordinaire de la caravane.

Les indigènes préparèrent cette viande de manière à la conserver presque indéfiniment, à la mode pemmicane, qui est si utilement employée par les Indiens du Nord. Les Européens suivirent avec intérêt cette opération culinaire, à laquelle ils montrèrent d'abord quelque répugnance. La viande de buffle, après avoir été découpée en tranches minces et séchée au soleil, fut serrée dans une peau tannée, puis frappée à coups de fléau qui la réduisirent en fragments presque impalpables. Ce n'était plus alors qu'une poudre de viande, de la chair pulvérisée. Cette poussière, enfermée dans des sacs de peau et très tassée, fut ensuite humectée de la graisse bouillante qui avait été recueillie sur l'animal lui-même. A cette graisse, un peu suiffeuse, il faut l'avouer, les cuisiniers africains ajoutèrent de la moelle fine, et quelques baies d'arbustes dont le principe saccharin devait, il semble, jurer avec les éléments azotés de la viande. Puis, cet ensemble fut mélangé, trituré, battu de manière à fournir par le refroidissement un tourteau dont la dureté égalait celle de la pierre.

La préparation était alors terminée. Mokoum pria les astronomes de goûter à ce mélange. Les Européens cédèrent aux instances du chasseur qui tenait à son pemmican comme à un mets national. Les premières bouchées parurent désagréables aux Anglais ; mais, habitués bientôt au goût de ce pudding africain, ils ne tardèrent pas à s'en montrer très friands. C'était, en effet, une réconfortante nourriture, très appropriée aux besoins d'une caravane lancée dans un pays inconnu et à laquelle les vivres frais pouvaient manquer ; substance très nourrissante, aisément transportable, d'une inaltérabilité à peu près parfaite, et qui sous un petit volume renfermait une grande quantité d'éléments nutritifs. Grâce au chasseur, la réserve de pemmican s'éleva bientôt à plusieurs centaines de livres, qui assuraient ainsi les besoins de l'avenir.

Les jours se passaient ainsi. Les nuits étaient quelquefois employées aux observations. William Emery pensait toujours à son ami Michel Zorn, déplorant ces fatalités qui brisent en un instant les liens de la plus étroite amitié. Oui ! Michel Zorn lui manquait, et son cœur, toujours rempli des impressions que faisait naître cette grande et sauvage nature, ne savait plus où s'épancher. Il s'absorbait alors dans des calculs, il se réfugiait dans ces chiffres avec la ténacité d'un Palander, et les heures s'écoulaient. Pour le colonel Everest, c'était le même homme, le même tempérament froid, qui ne se passionnait que pour les opérations trigonométriques. Quant à sir John, il regrettait franchement sa demi-liberté d'autrefois, mais il se gardait bien de se plaindre.

Toutefois, la fortune permettait à Son Honneur de se dédommager de temps en temps. S'il n'avait plus le temps de battre les taillis et de chasser les fauves de la contrée, en de certaines occasions ces animaux prirent la peine de venir à lui et tentèrent d'interrompre ses observations. Dans ce cas, le chasseur et le savant ne faisaient plus qu'un. Sir John se trouvait en état de légitime défense. Ce fut ainsi qu'il eut une rencontre sérieuse avec un vieux rhinocéros des environs, dans la journée du 12 septembre, rencontre qui lui coûta « assez cher », comme on le verra.

Depuis quelque temps, cet animal rôdait sur les flancs de la caravane. C'était un énorme « chucuroo », nom que les Boschjesmen donnent à ce pachyderme. Il mesurait quatorze pieds de longueur sur six de hauteur, et à la couleur noire de sa peau moins rugueuse que celle de ses congénères d'Asie, le bushman l'avait reconnu comme une bête dangereuse. Les espèces noires sont, en effet, plus agiles et plus agressives que les espèces blanches, et elles attaquent, même sans provocation, les animaux et les hommes.

Ce jour-là, sir John Murray, accompagné de Mokoum, était allé reconnaître à six milles de la station une hauteur sur laquelle le colonel Everest avait l'intention d'établir un poteau de mire. Par un certain pressentiment, il avait emporté son rifle, à balle conique, et non pas un simple fusil de chasse. Bien que le rhinocéros en question n'eût pas été signalé depuis deux jours, sir John ne voulait pas courir désarmé à travers un pays inconnu. Mokoum et ses camarades avaient donné la chasse au pachyderme, mais sans l'atteindre, et il était possible que l'énorme animal n'eût pas renoncé à ses desseins.

Sir John n'eut pas à regretter d'avoir agi en homme prudent. Son compagnon et lui étaient arrivés sans accident à la hauteur indiquée, et ils l'avaient gravie jusqu'à son sommet le plus escarpé, quand, à la base de cette colline, sur la lisière d'un taillis bas et peu serré, le « chucuroo » apparut soudain. Jamais sir John ne l'avait pu observer de si près. C'était vraiment une bête formidable. Ses petits yeux étincelaient. Ses cornes droites, un peu recourbées en arrière, posées l'une devant l'autre, d'égale longueur à peu près, soit deux pieds environ, et solidement implantées sur la masse osseuse des narines, formaient une arme redoutable.

Le bushman aperçut le premier l'animal, tapi à la distance d'un demi-mille sous un buisson de lentisques.

« Sir John, dit-il aussitôt, la fortune favorise Votre Honneur ! Voilà le chucuroo !

— Le rhinocéros ! s'écria sir John, dont les yeux s'animèrent soudain.

— Oui, sir John, répondit le chasseur. C'est, comme vous le voyez, une bête magnifique, et qui paraît fort disposé à nous couper la retraite. Pourquoi ce chucuroo s'acharne-t-il ainsi contre nous, je ne saurais le dire, car c'est un simple herbivore ; mais enfin, il est là, sous ce fourré, et il faudra l'en déloger !

— Peut-il monter jusqu'à nous ? demanda sir John.

— Non, Votre Honneur, répondit le bushman. La pente est trop raide pour ses membres courts et trapus. Aussi attendra-t-il !

— Eh bien, qu'il attende, répliqua sir John, et quand nous aurons fini d'examiner cette station, nous délogerons cet incommode voisin. »

Sir John Murray et Mokoum reprirent donc leur examen un instant interrompu. Ils reconnurent avec un soin minutieux la disposition supérieure du monticule, et choisirent l'emplacement sur lequel devait s'élever le poteau indicateur. D'autres hauteurs assez importantes,

situées dans le nord-ouest, devaient permettre de construire le nouveau triangle dans les conditions les plus favorables.

Lorsque ce travail fut terminé, sir John, se tournant vers le bushman, lui dit :

« Quand vous voudrez, Mokoum.

— Je suis aux ordres de Votre Honneur.

— Le rhinocéros nous attend toujours ?

— Toujours.

— Descendons alors, et si puissant que soit cet animal, une balle de mon rifle en aura facilement raison.

— Une balle ! s'écria le bushman. Votre Honneur ne sait pas ce qu'est un chucuroo. Ces bêtes-là ont la vie dure, et jamais on n'a vu un rhinocéros tomber sous une seule balle, si bien ajustée qu'elle fût.

— Bah ! fit sir John, parce qu'on n'employait pas de balles coniques !

— Coniques ou rondes, répondit Mokoum, vos premières balles n'abattront pas un pareil animal !

— Eh bien, mon brave Mokoum, répliqua sir John, emporté par son amour-propre de chasseur, je vais vous montrer ce que peuvent nos armes européennes, puisque vous en doutez ! »

Et ce disant, sir John arma son rifle, prêt à faire feu, dès que la distance lui semblerait convenable.

« Un mot, Votre Honneur ! dit le bushman, un peu piqué, et arrêtant son compagnon d'un geste. Votre Honneur consentirait-il à faire un pari avec moi ?

— Pourquoi pas, mon digne chasseur ? répondit sir John.

— Je ne suis pas riche, reprit Mokoum, mais je risquerais volontiers une livre contre la première balle de Votre Honneur.

— C'est dit ! répliqua aussitôt sir John. Une livre, à vous, si ce rhinocéros ne tombe pas sous ma première balle !

« — Tenu ? dit le bushman.

— Tenu. »

Les deux chasseurs descendirent le raide talus du monticule, et furent bientôt postés à une distance de cinq cents pieds du chucuroo qui conservait une immobilité parfaite. Il se présentait donc dans des circonstances très favorables à sir John, qui pouvait le viser à son aise. L'honorable Anglais pensait même avoir si beau jeu, qu'au moment de tirer, voulant permettre au bushman de revenir sur son pari, il lui dit :

« Cela tient-il toujours ?

— Toujours ! » répondit tranquillement Mokoum.

Le rhinocéros restait aussi immobile qu'une cible. Sir John avait le choix de la place à laquelle il lui conviendrait de frapper, afin de provoquer une mort immédiate. Il se décida à tirer l'animal au museau, et, son amour-propre de chasseur le surexcitant, il visa avec un soin extrême, que devait aider encore la précision de son arme.

Une détonation retentit. Mais la balle, au lieu de frapper les chairs, toucha la corne du rhinocéros, dont l'extrémité vola en éclats. L'animal ne sembla même pas s'apercevoir du choc.

« Ce coup ne compte pas, dit le bushman. Votre Honneur n'a pas atteint les chairs.

— Si vraiment ! répliqua sir John, un peu vexé ! Le coup compte, bushman. J'ai perdu une livre, mais je vous la joue quitte ou double !

— Comme vous le voudrez, sir John, mais vous perdrez !

— Nous verrons bien ! »

Le rifle fut rechargé avec soin, et sir John, visant le chucuroo à la hauteur de la hanche, tira son second coup. Mais la balle, rencontrant cet endroit où la peau se superpose en plaques cornues, tomba à terre, malgré sa force de pénétration. Le rhinocéros fit un mouvement, et se déplaça de quelques pas.

« Deux livres ! dit Mokoum.

— Les tenez-vous ? demanda sir John.

— Volontiers. »

Cette fois, sir John, que la colère commençait à gagner, rappela tout son sang-froid, et visa l'animal au front. La balle frappa à l'endroit visé, mais elle rebondit comme si elle eût rencontré une plaque de métal.

« Quatre livres ! dit tranquillement le bushman.

— Et quatre encore ! » s'écria sir John exaspéré.

Cette fois, la balle pénétra sous la hanche du rhinocéros, qui fit un bond formidable ; mais au lieu de tomber mort, l'animal se jeta sur les buissons avec une indescriptible fureur, et il les dévasta.

« Je crois qu'il remue encore un peu, sir John ! » dit simplement la chasseur.

Sir John ne se possédait plus. Son sang-froid l'abandonna entièrement. Ces huit livres qu'il devait au bushman, il les risqua sur une cinquième balle. Il perdit encore, il doubla, il doubla toujours, et ce ne fut qu'au neuvième coup de son rifle, que le vivace pachyderme, le cœur traversé enfin, tomba pour ne plus se relever.

Alors, Son Honneur poussa un hurrah ! Ses paris, son désappointement, il oublia tout, pour ne se souvenir que d'une chose : il avait tué son rhinocéros.

Mais, comme il le dit plus tard à ses collègues du Hunter-Club de Londres : « C'était une bête de prix ! »

Et, en effet, elle ne lui avait pas coûté moins de trente-six livres[1], somme considérable que le bushman encaissa avec son calme habituel.

1. Neuf cents francs.

XVI
Incidents divers

A la fin du mois de septembre, les astronomes s'étaient élevés d'un degré de plus vers le nord. La portion de la méridienne, déjà mesurée au moyen de trente-deux triangles, s'étendait alors sur quatre degrés. C'était la moitié de la tâche accomplie. Les trois savants y apportaient un zèle extrême : mais réduits à trois, ils éprouvaient parfois de telles fatigues qu'ils devaient suspendre leurs travaux pendant quelques jours. La chaleur était très forte alors et véritablement accablante. Ce mois d'octobre de l'hémisphère austral correspond au mois d'avril de l'hémisphère boréal, et sous le vingt-quatrième parallèle sud règne la température élevée des régions algériennes. Déjà, pendant la journée, certaines heures après midi ne permettaient aucun travail. Aussi, l'opération trigonométrique éprouvait-elle quelques retards qui inquiétaient principalement le bushman. Voici pourquoi.

Dans le nord de la méridienne, à une centaine de milles de la dernière station relevée par les observateurs, l'arc coupait une région singulière, un « karrou » en langue indigène, analogue à celui qui est situé au pied des montagnes du Roggeveld dans la colonie du Cap. Pendant la saison humide, cete région présente partout les symptômes de la plus admirable fertilité : après quelques jours de pluie, le sol est recouvert d'une épaisse verdure ; les fleurs naissent de toutes parts : les plantes, dans un très court laps de temps, sortent de terre : les pâturages épaississent à vue d'œil ; les cours d'eau se forment ; les troupeaux d'antilopes descendent des hauteurs et prennent possession de ces prairies improvisées. Mais ce curieux effort de la nature dure peu. Un mois à peine, six semaines au plus se sont écoulées, que toute l'humidité de cette terre, pompée par les rayons du soleil, s'est perdue dans l'air sous forme de vapeurs. Le sol se durcit et étouffe les nouveaux germes : la végétation disparaît en quelques jours ; les animaux fuient la contrée devenue inhabitable, et le désert s'étend là où se développait naguère un pays opulent et fertile.

Tel était ce karrou que la petite troupe du colonel Everest devait traverser avant d'atteindre le véritable désert qui confine aux rives du lac Ngami. On conçoit quel intérêt avait le bushman à s'engager dans cette phénoménale région, avant que l'extrême sécheresse en eût tari les sources vivifiantes. Aussi, communiqua-t-il ses observations au colonel Everest. Celui-ci les comprit parfaitement, et il promit d'en tenir compte dans une certaine proportion, en hâtant les travaux. Mais il ne fallait pas, cependant, que cette hâte nuisît en rien à leur exactitude. Les mesures angulaires ne sont pas toujours faciles et faisables à toute heure. On n'observe bien qu'à la condition d'observer dans certaines circonstances atmosphériques. Aussi les opérations n'en marchèrent-elles pas sensiblement plus vite, malgré les pressantes recommandations du bushman, et celui-ci vit bien que, lorsqu'il arriverait au karrou, la fertile région aurait probablement disparu sous l'influence des rayons solaires.

En attendant que les progrès de la triangulation eussent amené les astronomes sur les limites du karrou, ils pouvaient s'enivrer en contemplant la splendide nature qui s'offrait alors à leurs regards. Jamais les hasards de l'expédition ne les avait conduits en de plus belles contrées. Malgré l'élévation de la température, les ruisseaux y entretenaient une fraîcheur constante. Des troupeaux à milliers de têtes eussent trouvé dans ces pâturages une nourriture inépuisable. Quelques verdoyantes forêts hérissaient çà et là ce vaste sol qui semblait aménagé comme celui d'un parc anglais. Il n'y manquait que des becs de gaz.

Le colonel Everest se montrait peu sensible à ces beautés naturelles, mais sir John Murray et surtout William Emery ressentirent vivement le poétique sentiment qui se dégageait de cette contrée perdue au milieu des déserts africains. Combien le jeune savant regretta alors son pauvre Michel Zorn, et les sympathiques confidences qui s'échangeaient ordinairement entre eux ! Comme lui, il eût été vivement impressionné, et, entre deux observations, ils auraient laissé déborder leur cœur !

La caravane cheminait ainsi au milieu de ce pays magnifique. De nombreuses bandes d'oiseaux animaient de leur chant et de leur vol les prairies et les forêts. Les chasseurs de la troupe abattirent, à plusieurs reprises, des couples de « korans », sortes d'outardes particulières aux plaines de l'Afrique australe, et des « dikkops », gibier délicat dont la chair est très estimée. D'autres volatiles se recommandaient encore à l'attention des Européens, mais à un point de vue non comestible. Sur les bords des ruisseaux, ou à la surface des rivières qu'ils effleuraient de leurs ailes rapides, quelques gros oiseaux poursuivaient à outrance les corneilles voraces qui cherchaient à soustraire leurs œufs du fond de leurs nids de sable. Des grues bleues et à col blanc, des flamants rouges qui se promenaient comme une flamme sous les taillis clairsemés, des hérons, des courlis, des bécassines, des « kalas » souvent perchés sur le garrot des buf-

fles, des pluviers, des ibis qui semblaient envolés de quelque obélisque hiéroglyphique, d'énormes pélicans marchant en file par centaines portaient partout la vie dans ces régions auxquelles l'homme manquait seul. Mais de ces divers échantillons de la gent emplumée, les plus curieux n'étaient-ils pas ces ingénieux « tisserins », dont les nids verdâtres, tressés de joncs ou de brins d'herbes, sont suspendus comme d'énormes poires aux branches des saules pleureurs ? William Emery, les prenant pour des produits d'une espèce nouvelle, en cueillit un ou deux, et quel fut son étonnement d'entendre ces prétendus fruits gazouiller comme des passereaux ? N'aurait-il pas été excusable de croire, à l'exemple des anciens voyageurs d'Afrique, que certains arbres de cette contrée portaient des fruits qui produisaient des oiseaux vivants !

Oui, ce karrou avait alors un aspect enchanteur. Il offrait toutes les conditions favorables à la vie ruminante. Les gnous aux sabots pointus, les caamas, qui, suivant Harris, semblent n'être composés que de triangles, les élans, les chamois, les gazelles y abondaient. Quelle variété de gibier, quels « coups de fusil » pour un des membres estimés du Hunter-Club ! C'était vraiment une tentation trop forte pour sir John Murray, et, après avoir obtenu deux jours de repos du colonel Everest, il les employa à se fatiguer d'une remarquable façon. Mais aussi, quels succès il obtint en collaboration avec son ami le bushman, tandis que William Emery les suivait en amateur ! Que de coups heureux à enregistrer sur son carnet de vénerie ! Que de trophées cynégétiques à rapporter à son château des Highlands ! Et dans quel oubli, pendant ces deux jours de vacances, il laissa les opérations géodésiques, la triangulation, la mesure de la méridienne ! Qui eût cru que cette main, si habile à se servir du fusil, eût jamais manié les délicates lunettes d'un théodolite ! Qui eût pensé que cet œil, si prompt à viser dans ses bonds une rapide antilope, se fût exercé à travers les constellations du ciel, en poursuivant quelque étoile de treizième grandeur ! Oui ! sir John Murray fut bien complètement et uniquement chasseur pendant ces deux jours de liesse, et l'astronome disparut à faire craindre qu'il ne reparut jamais !

Entre autres faits de chasse à porter à l'actif de sir John, il faut en citer un, signalé par des résultats inattendus, et qui ne rassura guère le bushman sur l'avenir de l'expédition scientifique. Cet incident ne pouvait que justifier les inquiétudes dont le perspicace chasseur avait fait part au colonel Everest.

C'était le 15 octobre. Depuis deux jours, sir John se livrait tout entier à ses impérieux instincts. Un troupeau d'une vingtaine de ruminants avait été signalé à deux milles environ sur le flanc droit de la caravane. Mokoum reconnut qu'ils appartenaient à cette belle espèce d'antilopes, connue sous le nom d'oryx, et dont la capture, fort difficile, met en relief tout chasseur africain.

Aussitôt, le bushman fit connaître à sir John l'heureuse occasion qui se présentait et il l'engagea fortement à en profiter. Il lui apprit en même temps que ces oryx étaient très difficiles à forcer, que leur vitesse dépassait celle du cheval le plus rapide, que le célèbre Cumming, quand il chassait dans le pays des Namaquois, lors même qu'il montait des chevaux de grand fond, n'avait pas atteint, dans toute sa vie de chasseur, quatre de ces merveilleuses antilopes !

Il n'en fallait pas tant pour surexciter l'honorable Anglais, qui se déclara prêt à se lancer sur les traces des oryx. Il choisit son meilleur cheval, son meilleur fusil, ses meilleurs chiens, et, dans son impatience, précédant le patient bushman, il se dirigea vers la lisière d'un taillis confinant à une vaste plaine, et près duquel la présence des ruminants avait été signalée.

Après une heure de marche, les deux chevaux s'arrêtèrent. Mokoum, abrité derrière un bouquet de sycomores, montra à son compagnon la bande paissante qui se tenait au vent à quelques centaines de pas. Ces défiants animaux ne les avaient cependant point encore aperçus, et ils broutaient paisiblement l'herbe des pâturages. Toutefois, un de ces oryx semblait se tenir à l'écart. Le bushman le fit remarquer à sir John.

« C'est une sentinelle, lui dit-il. Cet animal, un vieux malin sans doute, veille au salut commun. Au moindre danger, il fera entendre une sorte de hennissement, et la troupe, lui en tête, décampera de toute la vigueur de ses jambes. Il faut donc ne le tirer qu'à bonne distance et l'abattre du premier coup. »

Sir John se contenta de répondre par un signe de tête affirmatif, et il se mit en bonne position pour observer ce troupeau.

Les oryx continuaient de brouter sans défiance. Leur gardien, auquel un remous de vent avait peut-être apporté quelques émanations suspectes, levait assez fréquemment son front cornu et montrait quelques symptômes d'agitation. Mais il était trop loin des chasseurs pour que ceux-ci pussent le tirer avec succès. Quant à forcer la bande à la course, sur cette vaste plaine qui lui offrait une piste favorable, il ne fallait pas y songer. Peut-être la troupe se rapprocherait-elle du taillis, et dans ce cas, sir John et le bushman pourraient viser l'un de ces oryx dans des conditions à peu près favorables.

Le hasard sembla devoir favoriser les chasseurs. Peu à peu, sous la direction du vieux mâle, les ruminants se rapprochèrent du bois. Sans doute, ils ne se croyaient pas en sûreté dans cette plaine découverte, et ils voulaient s'abriter sous l'épaisse ramure du taillis. Lorsque leur intention ne put être méconnue, le bushman invita son compagnon à mettre comme lui pied à terre. Les chevaux furent attachés au pied d'un sycomore, la tête enveloppée dans une couverture, précaution qui assurait à la fois leur mutisme et leur immobilité. Puis, les chiens suivant, Mokoum et sir John se glissèrent sous les broussailles, en longeant la lisière sarmenteuse du bois, mais de manière à gagner une sorte de pointe formée par les derniers arbres, et dont l'extrémité n'était pas à trois cents pas du troupeau.

Là, les deux chasseurs se blottirent comme s'ils eussent été à l'affût et, le fusil armé, ils attendirent.

De la place qu'ils occupaient ainsi, ils pouvaient observer les oryx, et admirer même en détail ces élégants animaux. Les mâles se distinguaient peu des femelles, et même par une bizarrerie dont la nature n'offre que de rares exemples, ces femelles, armées plus formidablement que les mâles, portaient des cornes recourbées en arrière et élégamment effilées. Aucun animal n'est plus charmant que cette antilope dont l'oryx forme la variété ; aucune ne présente de bigarrures noires aussi délicatement disposées. Un bouquet de poils flotte à la gorge de l'oryx, sa crinière est droite, et son épaisse queue traîne jusqu'à terre.

Cependant, le troupeau, composé d'une vingtaine d'individus, après s'être rapproché du bois, demeura stationnaire. Le gardien, bien évidemment, poussait les oryx à quitter la plaine. Il passait entre les hautes herbes et cherchait à les masser en un groupe compact, comme fait un chien de berger des moutons confiés à sa surveillance. Mais ces animaux, folâtrant dans le pâturage, ne paraissaient point d'humeur à abandonner cette luxuriante prairie. Ils résistaient, ils s'échappaient en gambadant, et recommençaient à brouter quelques pas plus loin.

Ce manège surprit fort le bushman. Il le fit observer à sir John, mais sans pouvoir lui en donner l'explication. Le chasseur ne pouvait comprendre l'obstination de ce

vieux mâle, ni pour quelle raison il voulait ramener sous bois la troupe d'antilopes.

La situation se prolongeait cependant, sans se modifier. Sir John tourmentait impatiemment la platine de son rifle. Tantôt il voulait tirer, tantôt se porter en avant. Mokoum ne parvenait que très difficilement à le contenir.

Une heure s'était ainsi écoulée, et l'on ne pouvait prévoir combien d'autres s'écouleraient encore, quand un des chiens, probablement aussi impatient que sir John, poussa un formidable aboiement et se précipita vers la plaine.

Le bushman, furieux, eût volontiers envoyé une charge de plomb au maudit animal ! Mais déjà le rapide troupeau fuyait avec une vitesse sans égale, et sir John comprit alors qu'aucun cheval n'aurait pu l'atteindre. En peu d'instants, les oryx ne formaient plus que des points noirs qui bondissaient entre les hautes herbes.

Mais, à la très grande surprise du bushman, le vieux mâle n'avait pas donné à la bande d'antilopes le signal de fuir. Contrairement aux habitudes de ces ruminants, ce singulier gardien était demeuré à la même place, ne songeant point à suivre les oryx confiés à sa garde. Depuis leur départ, il essayait même de se dissimuler dans les herbes, peut-être avec l'intention de gagner le taillis.

« Voilà une chose curieuse, dit alors le bushman. Qu'a-t-il donc, ce vieil oryx ? Sa démarche est singulière ! Est-il blessé ou accablé par l'âge ?

— Nous le saurons bien ! » répondit sir John, en s'élançant vers l'animal, son rifle prêt à faire feu.

L'oryx, à l'approche du chasseur, s'était de plus en plus rasé dans les herbes. On ne voyait que ses longues cornes, hautes de quatre pieds, dont les pointes acérées dominaient la verte surface de la plaine. Il ne cherchait même plus à fuir, mais à se cacher. Sir John put donc approcher facilement le singulier animal. Lorsqu'il n'en fut plus qu'à cent pas, il l'ajusta avec soin et fit feu. La détonation retentit. La balle avait évidemment frappé l'oryx à la tête, car ses cornes, dressées jusqu'alors, étaient maintenant couchées sous les herbes.

Sir John et Mokoum accoururent vers la bête de toute la vitesse de leurs jambes. Le bushman tenait à la main son couteau de chasse, prêt à éventrer l'animal dans le cas où il n'eût pas été tué sur le coup.

Mais cette précaution fut inutile. L'oryx était mort, bien mort, et tellement mort, que lorsque sir John le tira par les cornes, il n'amena qu'une peau vide et flasque, à laquelle l'ossature manquait tout entière !

« Par saint Patrick ! voilà des choses qui n'arrivent qu'à moi ! » s'écria-t-il d'un ton si comique qu'il eût fait rire tout autre que le bushman.

Mais Mokoum ne riait pas. Ses lèvres pincées, ses sourcils contractés, ses yeux clignotants trahissaient en lui une sérieuse inquiétude. Les bras croisés, portant rapidement la tête à droite, à gauche, il regardait autour de lui.

Soudain, un objet frappa ses regards. C'était un petit sac de cuir, enjolivé d'arabesques rouges, qui gisait sur le sol. Le bushman le ramassa aussitôt, et l'examina avec attention.

« Qu'est-ce que cela ? demanda sir John.

— Cela, répondit Mokoum, c'est un sac de Makololo.

— Et comment se trouve-t-il à cette place ?

— Parce que le possesseur de ce sac vient de le laisser tomber en fuyant précipitamment.

— Et ce Makololo ?

— N'en déplaise à Votre Honneur, répondit le bushman en contractant ses poings avec colère, ce Makololo était dans cette peau d'oryx, et c'est sur lui que vous avez tiré ! »

Sir John n'avait pas eu le temps d'exprimer sa surprise, que Mokoum, remarquant à cinq cents pas environ une certaine agitation entre les herbes, fit aussitôt feu dans cette direction. Puis, sir John et lui de courir à perdre haleine vers l'endroit suspect.

Mais la place était vide. On voyait au froissement des herbes qu'un être animé venait de passer là. Le Makololo avait disparu, et il fallait renoncer à le poursuivre à travers l'immense prairie qui s'étendait jusqu'aux limites de l'horizon.

Les deux chasseurs revinrent donc, fort inquiets de cet incident, qui devait, en effet, exciter leurs inquiétudes. La présence d'un Makololo au dolmen de la forêt incendiée, ce déguisement, très usité chez les chasseurs d'oryx, qui le cachait naguère, témoignait d'une véritable persistance à suivre à travers ces régions désertes la troupe du colonel Everest. Ce n'était pas sans motif qu'un indigène appartenant à la tribu pillarde des Makololos épiait ainsi les Européens et leur escorte. Et plus ceux-ci s'avançaient vers le nord, plus le danger s'accroissait d'être attaqués par ces voleurs du désert.

Sir John et Mokoum revinrent au campement, et Son Honneur, tout désappointé, ne put s'empêcher de dire à son ami William Emery :

« Vraiment, mon cher William, je n'ai pas de chance ! Pour le premier oryx que je tue, il était déjà mort avant que je ne l'eusse touché ! »

XVII
Les faiseurs de déserts

Le bushman, après cet incident de la chasse aux oryx, eut une longue conversation avec le colonel Everest. Dans l'opinion de Mokoum, opinion basée sur des faits probants, la petite troupe était suivie, épiée, par conséquent menacée. Suivant lui, si les Makololos ne l'avaient pas attaquée encore, c'est qu'il leur convenait de l'attirer plus au nord, dans la contrée même que parcourent habituellement leurs hordes pillardes.

Fallait-il donc, en présence de ce danger, revenir sur ses pas ? Devait-on interrompre la série de ces travaux si remarquablement conduits jusqu'alors ? Ce que la nature n'avait pu faire, des indigènes africains le feraient-ils ? Empêcheraient-ils les savants anglais d'accomplir leur tâche scientifique ? C'était là une grave question, et qu'il importait de résoudre.

Le colonel Everest pria le bushman de lui apprendre tout ce qu'il savait des Makololos, et voici, en substance, ce que le bushman lui dit.

Les Makololos appartiennent à la grande tribu des Béchuanas, et ce sont les derniers que l'on rencontre en s'avançant vers l'équateur. En 1850, le docteur David Livingstone, pendant son premier voyage au Zambèse, fut reçu à Seshèke, résidence habituelle de Sebitouané, alors grand chef des Makololos. Cet indigène était un guerrier redoutable qui, en 1824, menaça les frontières du Cap. Sebitouané, doué d'une remarquable intelligence, obtint peu à peu un suprême ascendant sur les tribus éparses du centre de l'Afrique, et parvint à en faire un groupe compact et dominateur. En 1853, c'est-à-dire l'année précédente, ce chef indigène mourut entre les bras de Livingstone, et son fils Sékélétou lui succéda.

Sékélétou montra d'abord envers les Européens qui fréquentaient les rives du Zambèse une sympathie assez vive. Le docteur Livingstone n'eut pas personnellement à s'en plaindre. Mais les manières du roi africain se modifièrent sensiblement après le départ du célèbre voyageur. Non seulement les étrangers, mais les indigènes voisins furent particulièrement vexés par Sékélétou et les guerriers de sa tribu. Aux vexations succéda bientôt le pillage, qui s'exerçait alors sur une vaste échelle. Les Makololos battaient la campagne, principalement dans cette contrée comprise entre le lac Ngami et le cours du haut Zambèse. Rien de moins sûr que de s'aventurer à travers ces régions avec une caravane réduite à un petit nombre d'hommes, surtout quand cette caravane était signalée, attendue, et probablement vouée d'avance à une catastrophe certaine.

Tel fut, en résumé, le récit que le bushman fit au colonel Everest.

Il ajouta qu'il croyait devoir lui dire la vérité tout entière, ajoutant que, pour son compte, il suivrait les ordres du colonel, et ne reculerait pas, si l'on décidait de continuer la marche en avant.

Le colonel Everest tint conseil avec ses deux collègues, sir John Murray et William Emery, et il fut arrêté que les travaux géodésiques seraient poursuivis quand même. Près des cinq huitièmes de l'arc étaient déjà mesurés, et quoi qu'il arrivât, ces Anglais devaient à eux-mêmes et à leur pays de ne point abandonner l'opération.

Cette décision prise, la série trigonométrique fut continuée. Le 27 octobre, la commission scientifique coupait perpendiculairement le tropique du Capricorne, et le 3 novembre, après avoir achevé son quarante et unième triangle, elle constatait, par des observations zénithales, que la mesure de la méridienne s'était accrue d'un nouveau degré.

Pendant un mois, la triangulation fut poursuivie avec ardeur sans rencontrer d'obstacles naturels. Dans ce beau pays, si heureusement accidenté, coupé seulement de ruisseaux franchissables et non de cours d'eau importants, les astronomes opérèrent vite et bien. Mokoum, toujours sur le qui-vive, avait soin d'éclairer la tête et les flancs de la caravane, et il empêchait les chasseurs de s'en écarter. Cependant, aucun danger immédiat ne semblait menacer la petite troupe, et il était fort possible que les craintes du bushman ne se réalisassent pas. Du moins, pendant ce mois de novembre, aucune bande pillarde ne se montra, et l'on ne retrouva plus trace de l'indigène qui avait suivi si opiniâtrement l'expédition depuis le dolmen de la forêt incendiée.

Et cependant, à plusieurs reprises, et bien que le péril parût momentanément éloigné, le chasseur remarqua des symptômes d'hésitation parmi les Boschjesmen placés sous ses ordres. On n'avait pu leur cacher les deux incidents du dolmen et de la chasse aux oryx. Ils s'attendaient inévitablement à une rencontre des Makololos. Or, Makololos et Boschjesmen sont deux tribus ennemies, sans pitié l'une envers l'autre. Les vaincus n'ont aucune grâce à espérer des vainqueurs, et leur petit nombre devait justement effrayer les indigènes de cette troupe, diminuée de moitié depuis la déclaration de guerre. Ces Boschjesmen se voyaient déjà à plus de trois cents milles des bords de la rivière d'Orange, et il était encore question de les entraîner à deux cents milles au moins vers le nord. Cette perspective leur donnait à réfléchir. Avant de

200

les engager pour cette expédition, Mokoum, il est vrai, ne leur avait point dissimulé la longueur et les difficultés du voyage, et certes, ils étaient hommes à braver les fatigues inséparables d'une telle expédition. Mais, du moment qu'aux fatigues se joignaient les dangers d'une collision avec des ennemis acharnés, cette circonstance modifiait leurs dispositions. De là, des regrets, des plaintes, un mauvais vouloir que Mokoum feignait de ne voir ni d'entendre, mais qui ajoutaient encore à ses inquiétudes sur l'avenir de la commission scientifique.

Un fait, dans la journée du 2 décembre, excita encore les mauvaises dispositions de ces superstitieux Boschjesmen et provoqua, dans une certaine mesure, une sorte de rébellion contre leurs chefs.

Depuis la veille, le temps, si beau jusqu'alors, s'était assombri. Sous l'influence d'une chaleur tropicale, l'atmosphère, saturée de vapeurs, indiquait une grande tension électrique. On pouvait déjà présager un orage prochain, et les orages, sous ces climats, se développent presque toujours avec une incomparable violence.

En effet, pendant la matinée du 2 décembre, le ciel se couvrit de nuages d'un sinistre aspect, auquel un météorologiste ne se fût pas trompé. C'étaient des « cumulus » amoncelés comme des balles de coton, et dont la masse, ici d'un gris foncé, là d'une nuance jaunâtre, présentait des couleurs très distinctes. Le soleil avait une teinte blafarde. L'air était calme, la chaleur étouffante. La baisse barométrique, accusée depuis la veille par les instruments, s'était alors arrêtée. Pas une feuille ne remuait aux arbres au milieu de cette lourde atmosphère.

Les astronomes avaient observé cet état du ciel, mais ils n'avaient point cru devoir interrompre leurs travaux. En ce moment, William Emery, accompagné de deux matelots, de quatre indigènes et d'un chariot, s'était porté à deux milles dans l'est de la méridienne, afin d'établir un poteau indicateur destiné à former le sommet d'un triangle. Il s'occupait de dresser sa mère au sommet d'un monticule, quand une rapide condensation des vapeurs, sous l'influence d'un grand courant d'air froid, donna lieu à un développement considérable d'électricité. Presque aussitôt, une grêle abondante se précipita sur le sol. Phénomène assez rarement observé, ces grêlons étaient lumineux, et on eût dit qu'il pleuvait des gouttes de métal embrasé. Du sol directement frappé jaillissaient des étincelles, et des jets lumineux s'élançaient de toutes les portions métalliques du véhicule qui avait servi au transport du matériel.

Bientôt ces grêlons acquirent un volume considérable. C'était une lapidation véritable, à laquelle on ne pouvait s'exposer sans danger. Et l'on ne s'étonnera pas de l'intensité de ce phénomène, quand on saura que le docteur Livingstone a vu, en de pareilles circonstances, à Kolobeng, les carreaux de la maison brisés, et des chevaux, des antilopes tués par ces énormes grêlons.

Sans perdre un instant, William Emery, abandonnant son travail, rappela ses hommes, afin de chercher dans le chariot un abri moins dangereux que celui d'un arbre par un temps d'orage. Mais il avait à peine abandonné le sommet du monticule, qu'un éclair éblouissant, accompagné d'un coup de tonnerre immédiat, embrasa l'atmosphère.

William Emery fut renversé, comme mort. Les deux matelots, éblouis un instant, se précipitèrent vers lui. Très heureusement, le jeune astronome avait été épargné par la foudre. Par un de ces effets presque inexplicables, que présentent certains cas de foudroiement, le fluide avait pour ainsi dire glissé autour de lui, en l'enveloppant d'une nappe électrique ; mais son passage était dûment attesté par la fusion qu'il avait opérée des pointes de fer d'un compas que William Emery tenait à la main.

Le jeune homme, relevé par ses matelots, revint

promptement à lui. Mais il n'avait pas été la seule victime ni la plus éprouvée de ce coup de tonnerre. Auprès du poteau dressé sur le monticule, deux indigènes gisaient sans vie, à vingt pas l'un de l'autre. L'un, dont le système vital avait été complètement désorganisé par l'action mécanique de la foudre, gardait sous ses vêtements intacts un corps noir comme du charbon. L'autre, frappé au crâne par le météore atmosphérique, avait été tué raide.

Ainsi donc, ces trois hommes — les deux indigènes et William Emery — venaient de subir simultanément le choc d'un seul éclair à triple dard. Phénomène rare, mais quelquefois observé, de cette trisection d'un éclair, dont l'écartement angulaire est souvent considérable.

Les Boschjesmen, d'abord atterrés par la mort de leurs camarades, prirent bientôt la fuite, en dépit des cris des matelots, et au risque d'être foudroyés en raréfiant l'air derrière eux par la rapidité de leur course. Mais ils ne voulurent rien entendre, et revinrent au campement de toute la vitesse de leurs jambes. Les deux marins, après avoir transporté William Emery dans le chariot, y placèrent les corps des deux indigènes, et s'abritèrent à leur tour, étant déjà tout contusionnés par le choc des grêlons qui tombaient comme une pluie de pierres. Pendant trois quarts d'heure environ, l'orage gronda avec une violence extrême. Puis, il commença à s'apaiser. La grêle cessa de tomber, et le chariot put reprendre la route du camp.

La nouvelle de la mort des deux indigènes l'avait précédé. Elle produisit un effet déplorable sur l'esprit de ces Boschjesmen qui ne voyaient pas sans une terreur superstitieuse ces opérations trigonométriques auxquelles ils ne pouvaient rien comprendre. Ils se rassemblèrent en conciliabule, et quelques-uns d'entre eux, plus démoralisés que les autres, déclarèrent qu'ils n'iraient pas plus avant. Il y eut un commencement de rébellion qui menaçait de prendre des proportions graves. Il fallut toute l'influence dont jouissait le bushman pour enrayer cette révolte. Le colonel Everest dut intervenir et promettre à ces pauvres gens un supplément de solde pour les maintenir à son service. L'accord ne se rétablit pas sans peine. Il y eut des résistances, et l'avenir de l'expédition parut être sérieusement compromis. En effet, que seraient devenus les membres de la commission, au milieu de ce désert, loin de toute bourgade, sans escorte pour les protéger, sans conducteurs pour mener leurs chariots ? Enfin, cette difficulté fut encore parée, et, après l'enterrement des deux indigènes, le camp étant levé, la petite troupe se dirigea vers le monticule sur lequel deux des siens avaient trouvé la mort.

William Emery se ressentit pendant quelques jours du choc violent auquel il avait été soumis. Sa main gauche qui tenait le compas demeura pendant quelque temps comme paralysée ; mais enfin, cette gêne disparut, et le jeune astronome put reprendre ses travaux.

Pendant les dix-huit jours qui suivirent, jusqu'au 20 décembre, aucun incident ne signala la marche de la caravane. Les Makololos ne paraissaient pas, et Mokoum, quoique défiant, commençait à se rassurer. On n'était plus qu'à une cinquantaine de milles du désert, et ce karrou restait ce qu'il avait été jusqu'alors, une contrée splendide dont la végétation, encore entretenue par les eaux vives du sol, n'eût pu être égalée en aucun point du globe. On devait donc compter que, jusqu'au désert, ni les hommes, au milieu de cette région fertile et giboyeuse, ni les bêtes de somme, enfoncées jusqu'au poitrail dans ces grands pâturages, ne manqueraient pas de nourriture. Mais on comptait sans les orthoptères dont l'apparition est une menace toujours suspendue sur les établissements agricoles de l'Afrique australe.

Pendant la soirée du 20 décembre, une heure environ avant le coucher du soleil, le campement avait été organisé. Les trois Anglais et le bushman, assis au pied d'un arbre, se reposaient des fatigues de la journée et causaient de leurs projets à venir. Le vent du nord, qui tendait à se lever, rafraîchissait un peu l'atmosphère.

Entre les astronomes, il avait été convenu que pendant cette nuit, ils prendraient des hauteurs d'étoiles afin de calculer exactement la latitude du lieu. Aucun nuage ne couvrait le ciel ; la lune était près d'être nouvelle : les constellations seraient resplendissantes, et par conséquent, ces délicates observations zénithales ne pouvaient manquer de se faire dans les circonstances les plus favorables. Aussi, le colonel Everest et sir John Murray furent-ils très désappointés, quand William Emery, vers huit heures, se levant et montrant le nord, dit :

« Voici l'horizon qui se couvre, et je crains que la nuit ne nous soit pas aussi propice que nous l'espérions.

— En effet, répondit sir John, ce gros nuage s'élève sensiblement et avec le vent qui fraîchit, il ne tardera pas à envahir le ciel.

— Est-ce donc un nouvel orage qui se prépare ? demanda le colonel.

— Nous sommes dans la région intertropicale, répondit William Emery, et cela est à craindre ! Je crois que nos observations sont fort aventurées pour cette nuit.

— Qu'en pensez-vous, Mokoum ? » demanda le colonel Everest au bushman.

Le bushman observa attentivement le nord. Le nuage se délimitait par une ligne courbe très allongée, et aussi nette que si elle eût été tracée au compas. Le secteur qu'il découpait au-dessus de l'horizon, présentait un développement de trois à quatre milles. Ce nuage, noirâtre comme une fumée, présentait un singulier aspect qui frappa le bushman. Parfois, le soleil couchant l'éclairait de reflets rougeâtres qu'il réfléchissait comme eût fait une masse solide, et non une agglomération de vapeurs.

« Un singulier nuage ! » dit Mokoum, sans s'expliquer davantage.

Quelques instants après, un des Boschjesmen vint prévenir le chasseur que les animaux, chevaux, bœufs et autres, donnaient des signes d'agitation. Ils couraient à travers le pâturage, et se refusaient à rentrer dans l'enceinte du campement.

« Eh bien, laissez-les passer la nuit au-dehors ! répondit Mokoum.

— Mais les bêtes fauves ?

— Oh ! les bêtes fauves seront bientôt trop occupées pour faire attention à eux. »

L'indigène se retira. Le colonel Everest allait demander au bushman l'explication de cette étrange réponse. Mais Mokoum, s'étant éloigné de quelques pas, parut entièrement absorbé dans la contemplation de ce phénomène dont il soupçonnait évidemment la nature.

Le nuage s'approchait avec rapidité. On pouvait remarquer combien il était bas, et certainement, sa hauteur au-dessus du sol ne devait pas dépasser quelques centaines de pieds. Au sifflement du vent qui fraîchissait, se mêlait comme un « bruissement formidable », si toutefois ces deux mots peuvent s'accoupler ensemble, et ce bruissement paraissait sortir du nuage lui-même.

En ce moment et au-dessus du nuage, un essaim de points noirs apparut sur le fond pâle du ciel. Ces points voltigeaient de bas en haut, plongeant au milieu de la masse sombre et s'en retirant aussitôt. On les eût comptés par milliers.

« Eh ! que sont ces points noirs ? demanda sir John Murray.

— Ces points noirs sont des oiseaux, répondit le bushman. Ce sont des vautours, des aigles, des faucons, des milans. Ils viennent de loin, ils suivent ce nuage, ils ne l'abandonneront que lorsqu'il sera anéanti ou dispersé.

— Mais ce nuage ?

— Ce n'est point un nuage, répondit Mokoum, en étendant la main vers la masse sombre qui envahissait déjà un quart du ciel, c'est une nuée vivante, c'est une nuée de criquets ! »

Le chasseur ne se trompait pas. Les Européens allaient voir une de ces terribles invasions de sauterelles, malheureusement trop fréquentes, et qui en une nuit changent le pays le plus fertile en une contrée aride et désolée. Ces criquets qui appartiennent au genre locuste, les « grylli devastatorii » des naturalistes, arrivaient ainsi par milliards. Des voyageurs n'ont-ils pas vu une plage couverte de ces insectes sur une hauteur de quatre pieds et sur une longueur de cinquante milles ?

« Oui ! reprit le bushman, ces nuages vivants sont un fléau redoutable pour les campagnes, et plaise au ciel qu'ils ne nous fassent pas trop de mal !

— Mais nous n'avons ici, dit le colonel Everest, ni champs ensemencés, ni pâturages qui nous appartiennent ! Que pourrions-nous craindre de ces insectes ?

— Rien, s'ils passent seulement au-dessus de notre tête, répondit le bushman, tout, s'ils s'abattent sur ce pays que nous devons traverser. Alors, il n'y aura plus ni une feuille aux arbres, ni un brin d'herbe aux prairies, et vous oubliez, colonel, que si notre nourriture est assurée, celle de nos chevaux, de nos bœufs, de nos mulets, ne l'est pas. Que deviendraient-ils au milieu de ces pâturages dévastés ? »

Les compagnons du bushman demeurèrent quelques instants silencieux. Ils observaient la masse animée qui croissait à vue d'œil. Le bruissement redoublait, dominé par des cris d'aigles ou de faucons qui, se précipitant sur la nuée inépuisable, en dévoraient les insectes par milliers.

« Croyez-vous qu'ils s'abattent sur cette contrée ? demanda William Emery à Mokoum.

— Je le crains, répondit le chasseur. Le vent du nord les porte directement. Puis, voilà le soleil qui disparaît. La fraîche brise du soir va alourdir les ailes de ces saute relles. Elles s'abattront sur les arbres, sur les buissons, sur les prairies, et alors... »

Le bushman n'acheva pas sa phrase. Sa prédiction s'accomplissait en ce moment. En un instant, l'énorme nuage qui dépassait le zénith, s'abattit sur le sol. On ne vit plus qu'une masse fourmillante et sombre autour du campement et jusqu'aux limites de l'horizon. L'emplacement même du camp fut littéralement inondé. Les chariots, les tentes, tout disparut sous cette grêle vivante. La masse des criquets mesurait un pied de hauteur. Les Anglais, enfoncés jusqu'à mi-jambe dans cette épaisse couche de sauterelles, les écrasaient par centaines à chaque pas. Mais qu'importait dans le nombre ?

Et cependant, ce n'étaient pas les causes de destruction qui manquaient à ces insectes. Les oiseaux se jetaient sur eux en poussant des cris rauques et ils les dévoraient avidement. Au-dessous de la masse, des serpents attirés par cette friande curée, en absorbaient des quantités énormes. Les chevaux, les bœufs, les mulets, les chiens s'en repaissaient avec un inexprimable contentement. Le gibier de la plaine, les bêtes sauvages, lions ou hyènes, éléphants ou rhinocéros, engloutissaient dans leurs vastes estomacs des boisseaux de ces insectes. Enfin, les Boschjesmen eux-mêmes, très amateurs de ces « crevettes de l'air », s'en nourrissaient comme d'une manne céleste ! Mais leur nombre défiait toutes ces causes de destruction, et même leur propre voracité, car ces insectes se dévorent entre eux.

Sur les instances du bushman, les Anglais durent goûter à cette nourriture qui leur tombait du ciel. On fit bouillir quelques milliers de criquets assaisonnés de sel, de poivre et de vinaigre, après avoir eu soin de choisir les plus jeunes qui sont verts, et non jaunâtres, et par conséquent, moins coriaces que leurs aînés, dont quelques-uns mesuraient quatre pouces de longueur. Ces jeunes locustes, gros comme un tuyau de plume, longs de quinze à vingt lignes, n'ayant pas encore déposé leurs œufs, sont, en effet, considérés par les amateurs comme un mets délicat. Après une demi-heure de cuisson, le bushman servit aux trois Anglais un appétissant plat de criquets. Ces insectes, débarrassés de la tête, des pattes et des élytres, absolument comme des crevettes de mer, furent trouvés savoureux, et sir John Murray, qui en mangea quelques centaines pour son compte, recommanda à ses gens d'en faire des provisions énormes. Il n'y avait qu'à se baisser pour en prendre !

La nuit étant venue, chacun regagna sa couche habituelle. Mais les chariots n'avaient point échappé à l'envahissement. Impossible d'y pénétrer sans écraser ces innombrables insectes. Dormir dans ces conditions était peu agréable. Aussi, puisque le ciel était pur, et que les constellations brillaient au firmament, les trois astronomes passèrent toute la nuit à prendre des hauteurs d'étoiles. Cela valait mieux, à coup sûr, que de s'enfoncer jusqu'au cou dans cet édredon de sauterelles. D'ailleurs, les Européens auraient-ils pu trouver un instant de sommeil, pendant que la plaine et les bois retentissaient des hurlements de bêtes fauves, accourues à la curée des criquets !

Le lendemain, le soleil déborda d'un horizon limpide, et commença à décrire son arc diurne sur un ciel éclatant qui promettait une chaude journée. Ses rayons eurent bientôt élevé la température, et un sourd bruissement d'élytres se fit entendre, au milieu de la masse des locustres qui se préparaient à reprendre leur vol, et à porter ailleurs leurs dévastations. Vers huit heures du matin, ce fut comme le déploiement d'un voile immense qui se développa sur le ciel et éclipsa la lumière du soleil. Toute la contrée s'assombrit, et on eût pu croire que la nuit reprenait son cours. Puis, le vent ayant fraichi, l'énorme nuée se mit en mouvement. Pendant deux heures, avec un bruit assourdissant, elle passa au-dessus du campement plongé dans l'ombre, et elle disparut enfin au-delà de l'horizon occidental.

Mais, quand la lumière reparut, on put voir que les prédictions du bushman s'étaient entièrement réalisées. Plus une feuille aux arbres, plus un brin d'herbe aux prairies. Tout était anéanti. Le sol paraissait jaunâtre et terreux. Les branches dépouillées n'offraient plus au regard qu'une silhouette grimaçante. C'était l'hiver succédant à l'été, avec la rapidité d'un changement à vue ! C'était le désert, et non plus la contrée luxuriante !

Et l'on pouvait appliquer à ces criquets dévorants ce proverbe oriental que justifie encore l'instinct pillard des Osmanlis : L'herbe ne pousse plus où le Turc a passé ! L'herbe ne pousse plus où se sont abattues les sauterelles !

XVIII
Le désert

C'était, en effet, le désert qui se déroulait maintenant devant les pas des voyageurs, et quand, le 25 décembre, après avoir mesuré un nouveau degré de la méridienne, et achevé leur quarante-huitième triangle, le colonel Everest et ses compagnons arrivèrent sur la limite septentrionale du karrou, ils ne trouvèrent aucune différence entre cette région qu'ils quittaient et le nouveau pays, aride et brûlé, qu'ils allaient parcourir.

Les animaux, employés au service de la caravane,

souffraient beaucoup de la disette de pâturages. L'eau manquait aussi. Les dernières gouttes de pluie s'étaient taries dans les mares. Le sol était mélangé d'argile et de sable très impropre à la végétation. Les eaux de la saison des pluies, filtrant à travers les couches sableuses, disparaissent presque aussitôt de ces terrains recouverts d'une innombrable quantité de grès, et qui ne peuvent conserver aucune molécule liquide.

C'était bien là l'une de ces arides régions que le docteur Livingstone traversa plus d'une fois pendant ses aventureuses explorations. Non seulement la terre, mais l'atmosphère était si sèche, que les objets de fer, laissés en plein air, ne se rouillaient pas. Suivant le récit du savant docteur, les feuilles des arbres étaient ridées et amollies ; celles des mimosas restaient fermées en plein jour comme elles le sont pendant la nuit ; les scarabées, placés à la surface du sol, expiraient au bout de quelques secondes ; enfin, la boule d'un thermomètre ayant été enfoncée à trois pouces dans la terre, à midi, la colonne de mercure marqua cent trente-quatre degrés Farenheit[1] !

Telles certaines contrées de l'Afrique australe apparurent au célèbre voyageur, telle cette portion du continent, située entre la limite du Karrou et le lac Ngami, se montra aux regards des astronomes anglais. Leurs fatigues furent grandes, leurs souffrances extrêmes, surtout par le manque d'eau. Cette privation affectait plus sensiblement encore les animaux domestiques, qu'une herbe rare, sèche, poussiéreuse nourrissait à peine. De plus, cette étendue de terrain, c'était le désert, non seulement par son aridité, mais aussi parce que presque aucun être vivant ne s'y aventurait. Les oiseaux avaient fui au-delà du Zambèse, afin d'y retrouver les arbres et les fleurs. Les bêtes sauvages ne se hasardaient point sur cette

---

1. 56° centigrades.

plaine, qui ne leur offrait aucune ressource. A peine, durant les quinze premiers jours du mois de janvier, les chasseurs de la caravane entrevirent-ils deux ou trois couples de ces antilopes qui peuvent se passer de boire pendant plusieurs semaines ; c'étaient entre autres, des oryx semblables à ceux qui avaient causé un si vif désappointement à sir John Murray et plus particulièrement des caamas, aux doux yeux, à la robe gris cendré, mêlée de taches d'ocre, animaux inoffensifs, très estimés pour la qualité de leur chair, et qui semblent préférer les plaines arides aux pâturages des contrées fertiles.

Cependant, à cheminer sous ce soleil de feu, à travers cette atmosphère qui ne contenait pas un atome de vapeur, à poursuivre les opérations géodésiques par des jours et des nuits dont aucun souffle ne tempérait la chaleur, les astronomes se fatiguaient visiblement. Leur réserve d'eau, contenue dans des barils échauffés, diminuait. Ils avaient déjà dû se rationner, et souffraient beaucoup de ce rationnement. Cependant, leur zèle était si grand, leur courage tel, qu'ils dominaient fatigues et privations, et ne négligeaient aucun détail de leur immense et minutieux travail. Le 25 janvier, la septième portion de la méridienne, comprenant un nouveau degré, avait été calculée au moyen de neuf triangles nouveaux, ce qui portait à cinquante-sept le nombre total des triangles construits jusqu'alors.

Les astronomes n'avaient plus qu'une portion du désert à franchir, et dans l'opinion du bushman, ils devaient atteindre les rives du lac Ngami avant les derniers jours de janvier. Le colonel et ses compagnons pouvaient répondre d'eux-mêmes et tenir jusque-là.

Mais les hommes de la caravane, les Boschjesmen, qui n'étaient pas entraînés par cette ardeur, gens à gages, dont l'intérêt ne se confondait pas avec l'intérêt scientifique de l'expédition, indigènes assez peu disposés à poursuivre leur marche en avant, ceux-là supportaient mal les épreuves de la route. Ils se montraient très sensibles à la disette d'eau. Déjà, quelques bêtes de somme, affaiblies par la faim et la soif, avaient dû être laissées en arrière, et il était à craindre que leur nombre ne s'augmentât de jour en jour. Les murmures, les récriminations s'accroissaient avec les fatigues. Le rôle de Mokoum devenait très difficile, et son influence baissait.

Il fut bientôt évident que le manque d'eau serait un invincible obstacle, qu'il faudrait arrêter la marche au nord, et se porter, soit en arrière, soit sur la droite de la méridienne, au risque de se rencontrer avec l'expédition russe, afin de gagner les bourgades, distribuées dans une contrée moins aride sur l'itinéraire de David Livingstone.

Le 15 février, le bushman fit connaître au colonel Everest ces difficultés croissantes contre lesquelles il s'employait en vain. Les conducteurs de chariots refusaient déjà de lui obéir. Chaque matin, à la levée du camp, c'étaient des scènes d'insubordination auxquelles la plupart des indigènes prenaient part. Ces malheureux, il faut l'avouer, accablés par la chaleur, dévorés par la soif, faisaient pitié à voir. D'ailleurs, les bœufs et les chevaux, insuffisamment nourris d'une herbe courte et sèche, nullement abreuvés, ne voulaient plus marcher.

Le colonel Everest connaissait parfaitement la situation. Mais, dur pour lui-même, il l'était pour les autres. Il ne voulut en aucune façon suspendre les opérations du réseau trigonométrique, et déclara que, fût-il seul, il continuerait à se porter en avant. Du reste, ses deux collègues parlaient comme lui, et ils étaient prêts à le suivre aussi loin qu'il lui plairait d'aller.

Le bushman, par de nouveaux efforts, obtint des indigènes qu'ils le suivraient pendant quelque temps encore. D'après son estime, la caravane ne devait pas être à plus de cinq ou six jours de marche du lac Ngami. Là, chevaux et bœufs retrouveraient de frais pâturages et des

forêts ombreuses. Là, les hommes auraient toute une mer d'eau douce pour se rafraîchir. Mokoum fit valoir ces considérations aux principaux Boschjesmen. Il leur démontra que, pour se ravitailler, le plus court était d'aller au nord. En effet, se rejeter dans l'ouest, c'était marcher au hasard ; revenir en arrière, c'était retrouver le Karrou désolé, dont tous les cours d'eau devaient être taris. Enfin les indigènes se rendirent à tant de raisons et de sollicitations, et la caravane, presque épuisée, reprit sa marche vers le Ngami.

Fort heureusement, dans cette plaine si vaste, les opérations géodésiques s'accomplissaient facilement au moyen de poteaux ou de pylônes. Afin de gagner du temps, les astronomes travaillaient nuit et jour. Guidés par la lueur des lampes électriques, ils obtenaient des angles très nets, qui satisfaisaient aux plus scrupuleuses déterminations.

Les travaux continuaient donc avec ensemble et méthode, et le réseau s'augmentait peu à peu.

Le 16 janvier, la caravane put croire un instant que cette eau dont la nature se montrait si avare, allait enfin lui être abondamment restituée.

Un lagon, d'une largeur d'un à deux milles, venait d'être signalé à l'horizon.

On comprend si cette nouvelle fut bien accueillie. Toute la caravane se porta rapidement dans la direction indiquée, vers une assez vaste étendue d'eau, qui miroitait sous les rayons solaires.

Le lagon fut atteint vers cinq heures du soir. Quelques chevaux, brisant leurs traits, échappant à la main de leurs conducteurs, s'élancèrent au galop vers cette eau tant désirée. Ils la sentaient, ils l'aspiraient, et bientôt on put les voir s'y plonger jusqu'au poitrail.

Mais, presque aussitôt, ces animaux revinrent sur la rive. Ils n'avaient pu se désaltérer à ces nappes liquides, et quand les Boschjesmen arrivèrent, ils se trouvèrent en présence d'une eau tellement imprégnée de sel, qu'ils ne purent s'y rafraîchir.

Le désappointement, on peut dire, le désespoir fut grand. Rien de cruel comme un espoir déçu ! Mokoum crut qu'il lui faudrait renoncer à entraîner les indigènes au-delà du lac salé. Heureusement pour l'avenir de l'expédition, la caravane se trouvait plus près du Ngami et des affluents du Zambèse que de tout autre point de cette région où l'on pût se procurer de l'eau potable. Le salut de tous dépendait donc de la marche en avant. En quatre jours, si les travaux géodésiques ne la retardaient pas, l'expédition serait rendue sur les rives du Ngami.

On repartit. Le colonel Everest, profitant de la disposition du terrain, put construire des triangles de grandes proportions qui nécessitèrent moins fréquemment l'établissement des mires. Comme on opérait surtout pendant des nuits très pures, les signaux de feu se voyaient admirablement et pouvaient être relevés avec une précision extrême, soit au théodolite, soit au cercle répétiteur avec une exactitude parfaite. C'était à la fois économie de temps et de fatigue. Mais, il faut l'avouer, pour ces courageux savants enflammés d'un zèle scientifique, pour ces indigènes dévorés d'une soif ardente sous ce climat terrible, comme pour les animaux employés au service de la caravane, il était temps d'arriver au Ngami. Nul n'aurait pu supporter encore quinze jours de marche dans des conditions pareilles.

Le 21 janvier, le sol plat et uni commença à se modifier sensiblement. Il devint raboteux, accidenté. Vers dix heures du matin, une petite montagne, haute de cinq à six cents pieds, fut signalée dans le nord-ouest, à une distance de quinze milles environ. C'était le mont Scorzef.

Le bushman observa attentivement les localités, et après un examen assez long, étendant la main vers le nord :

« Le Ngami est là ! dit-il.

— Le Ngami ! le Ngami ! » crièrent les indigènes, accompagnant leurs cris de démonstrations bruyantes.

Les Boschjesmen voulaient se porter en avant, et franchir en courant les quinze milles qui les séparaient du lac. Mais le chasseur parvint à les retenir, leur faisant observer que dans ce pays infesté par les Makololos, il était très important pour eux de ne point se débander.

Cependant le colonel Everest, voulant hâter l'arrivée de sa petite troupe au Ngami, résolut de joindre directement la station qu'il occupait avec le Scorzef, par un seul triangle. Le sommet du mont, terminé par une sorte de pic très aigu, pouvait être visé très exactement, et se prêtait ainsi à une bonne observation. Il était dès lors inutile d'attendre la nuit, inutile, par conséquent, d'envoyer en avant un détachement de marins et d'indigènes pour fixer un réverbère au sommet du Scorzef.

Les instruments furent donc installés, et l'angle formant le sommet du dernier triangle déjà obtenu dans le sud, fut de nouveau mesuré à cette station même pour plus de précision.

Mokoum, très impatient d'arriver aux rives du Ngami, n'avait fait établir qu'un campement provisoire. Il espérait bien, avant la nuit, avoir atteint le lac tant désiré : mais il ne négligea aucune des précautions habituelles, et il fit battre les environs par quelques cavaliers. Sur la droite et sur la gauche s'élevaient des taillis qu'il était prudent d'éclairer. Cependant, depuis la chasse aux oryx, on n'avait vu aucune trace de Makololos, et l'espionnage dont la caravane avait été l'objet semblait avoir été abandonné. Néanmoins, le défiant bushman voulait être sur ses gardes, afin de parer à tout.

Tandis que le chasseur veillait ainsi, les astronomes s'occupaient de construire leur nouveau triangle. D'après les relevés faits par William Emery, ce triangle les porterait bien près du vingtième parallèle, auquel devait s'arrêter la pointe terminale de l'arc qu'ils étaient

venus mesurer dans cette portion de l'Afrique. Encore quelques opérations au-delà du Ngami, et très vraisemblablement le huitième tronçon de la méridienne serait obtenu. Puis, vérification faite des calculs au moyen d'une base nouvelle, directement mesurée sur le sol, la grande entreprise serait achevée. On comprend donc quelle ardeur soutenait ces audacieux, qui se voyaient sur le point d'achever leur œuvre.

Et pendant ce temps, comment avaient opéré les Russes de leur côté ? Depuis six mois que les membres de la commission internationale s'étaient séparés, où se trouvaient, en ce moment, Mathieu Strux, Nicolas Palander, Michel Zorn ? Les fatigues les avaient-ils éprouvés avec autant de rigueur que leurs collègues d'Angleterre ? Avaient-ils souffert de la privation d'eau, des accablantes chaleurs de ces climats ? Sur leur parcours qui se rapprochait sensiblement de l'itinéraire de David Livingstone, les régions avaient-elles été moins arides ? Peut-être, car il existait, depuis Kolobeng, des villages et des bourgades tels que Schokuané, Schoschong et autres, peu éloignés sur la droite de la méridienne, dans lesquels la caravane russe avait dû pouvoir se ravitailler. Mais aussi n'était-il pas à craindre que, dans ces régions moins désertes, et par conséquent battues sans cesse par les pillards, la petite troupe de Mathieu Strux n'eût été très exposée ? De ce que les Makololos semblaient avoir abandonné la poursuite de l'expédition anglaise, ne fallait-il pas conclure qu'ils s'étaient jetés sur les traces de l'expédition russe ?

Le colonel Everest, toujours absorbé, ne pensait pas ou ne voulait pas penser à ces choses, mais sir John Murray et William Emery s'entretenaient fréquemment du sort de leurs anciens collègues. Leur serait-il donné de les revoir ? Les Russes réussiraient-ils dans leur entreprise ? Le même résultat mathématique, c'est-à-dire la valeur du degré de longitude dans cette partie de l'Afrique, serait-elle identique pour ces deux expéditions, qui auraient poursuivi simultanément, mais séparément, l'établissement du réseau trigonométrique ? Puis, William Emery songeait à son compagnon, dont l'absence lui semblait si regrettable, et il savait bien que Michel Zorn ne l'oublierait jamais.

Cependant, la mesure des distances angulaires avait commencé. Pour obtenir l'angle qui s'appuyait à la station, il s'agissait de viser deux mires dont l'une était formée par le sommet conique du Scorzef.

Pour l'autre mire, sur la gauche de la méridienne, on choisit un monticule aigu, qui n'était situé qu'à la distance de quatre milles. Sa direction fut donnée par l'une des lunettes du cercle répétiteur.

Le Scorzef, on l'a dit, était relativement fort éloigné. Mais les astronomes n'avaient pas eu le choix, ce mont isolé étant le seul point culminant de la contrée. En effet, aucune autre hauteur ne s'élevait ni dans le nord, ni dans l'ouest, ni au-delà du lac Ngami, que l'on ne pouvait encore apercevoir. Or, cet éloignement du Scorzef allait obliger les observateurs à se porter considérablement sur la droite de la méridienne ; mais, après mûres réflexions, ils comprirent qu'ils pouvaient procéder autrement. Le mont solitaire fut donc visé avec un soin extrême au moyen de la seconde lunette du cercle répétiteur, et l'écartement des deux lunettes donna la distance angulaire qui séparait le Scorzef du monticule, et, par conséquent, la mesure de l'angle formé à la station même. Le colonel Everest, pour avoir une approximation plus grande, fit vingt répétitions successives en modifiant la position de ses lunettes sur le cercle gradué ; de cette façon, il divisa par vingt les erreurs possibles de lecture, et il obtint une mesure angulaire dont la rigueur était absolue.

Ces diverses observations, malgré l'impatience des indigènes, furent faites par l'impassible Everest avec le même soin qu'il y eût apporté dans son observatoire de Cambridge. Toute la journée du 21 février se passa ainsi. et ce fut seulement à la tombée du jour, vers cinq heures et demie, lorsque la lecture des limbes devint difficile. que le colonel termina ses observations.

« A vos ordres, Mokoum, dit-il alors au bushman.

— Il n'est pas trop tôt, colonel, répondit Mokoum, et je regrette que vous n'ayez pu achever vos travaux avant la nuit, car nous aurions tenté de transporter notre campement sur les bords du lac !

— Mais qui nous empêche de partir ? demanda le colonel Everest. Quinze milles à faire, même dans une nuit obscure, ne sauraient nous arrêter. La route est directe, c'est la plaine elle-même, et nous ne pouvons craindre de nous égarer.

— Oui !... en effet..., répondit le bushman, qui semblait se consulter. Peut-être pouvons-nous tenter l'aventure. quoique j'eusse préféré marcher en plein jour sur ces terres qui avoisinent le Ngami ! Nos hommes ne demandent qu'à se porter en avant et à atteindre les eaux douces du lac. Nous allons partir, colonel.

— Quand il vous plaira, Mokoum ! » répondit le colonel Everest.

Cette décision approuvée par tous, les bœufs furent attelés aux chariots, les chevaux montés par leurs cavaliers, les instruments replacés dans les véhicules, et à sept heures du soir, le bushman, ayant donné le signal du départ, la caravane, aiguillonnée par la soif, marcha droit au lac Ngami.

Par un certain instinct de batteur d'estrade, le bushman avait prié les trois Européens de prendre leurs armes et de se pourvoir de munitions. Lui-même, il portait le rifle dont sir John lui avait fait présent, et les cartouches ne manquaient pas à sa cartouchière.

On partit. La nuit était sombre. Un épais rideau de nuages voilait les constellations. Cependant l'atmosphère, dans sa couche la plus rapprochée du sol, était dégagée de brumes. Mokoum, doué d'une grande puissance de vision, observait sur les flancs et en avant de la cara vane. Quelques mots qu'il avait dits à sir John prou vaient à l'honorable Anglais que le bushman ne considé rait pas la contrée comme très sûre. Aussi, de son côté, sir John se tenait prêt à tout événement.

La caravane marcha pendant trois heures dans la direction du nord, mais elle se ressentait de son état de fatigue et d'épuisement, et n'allait pas vite. Souvent, il fallait s'arrêter pour rallier les retardataires. On n'avan çait qu'à raison de trois milles à l'heure, et vers dix heures du soir, six milles séparaient encore la petite troupe des rives du Ngami. Les bêtes haletaient et pou vaient à peine respirer dans cette nuit étouffante, au milieu d'une atmosphère si sèche que l'hygromètre le plus sensible n'y eût pas trouvé trace d'humidité.

Bientôt, malgré les expresses recommandations du bushman, la caravane ne présenta plus un noyau com pact. Les hommes et les animaux s'étendirent en une longue file. Quelques bœufs, à bout de forces, étaient tombés sur la route. Des cavaliers démontés se traînaient à peine, et ils eussent été facilement enlevés par le moindre parti d'indigènes. Aussi Mokoum, inquiet, n'épargnant ni ses paroles ni ses gestes, allant de l'un à l'autre, cherchait à reconstituer sa troupe, mais il n'y parvenait pas, et déjà, sans qu'il s'en fût aperçu, un cer tain nombre de ses hommes lui manquaient.

A onze heures du soir, les chariots qui tenaient la tête ne se trouvaient plus qu'à trois milles du Scorzef. Malgré l'obscurité, ce mont isolé apparaissait assez distincte ment, et se dressait dans l'ombre comme une énorme pyramide. La nuit, ajoutant à ses dimensions réelles, en doublait l'altitude.

Si Mokoum ne s'était pas trompé, le Ngami devait être derrière le Scorzef. Il s'agissait donc de tourner le mont de manière à gagner par le plus court la vaste étendue d'eau douce.

Le bushman prit la tête de la caravane, en compagnie des trois Européens, et il se préparait à incliner sur la gauche, quand des détonations, très distinctes bien qu'éloignées, l'arrêtèrent soudain.

Les Anglais avaient aussitôt retenu leurs montures. Ils écoutaient avec une anxiété facile à comprendre. Dans un pays où les indigènes ne se servent que de lances et de flèches, des détonations d'armes à feu devaient leur causer une surprise mêlée d'anxiété.

« Qu'est cela ? demanda le colonel.

— Des coups de feu ! répondit sir John.

— Des coups de feu ! s'écria le colonel, et dans quelle direction ? »

Cette question s'adressait au bushman, qui répondit :

« Ces coups de fusil sont tirés du sommet du Scorzef. Voyez l'ombre qui s'illumine au-dessus ! On se bat par là ! Des Makololos, sans doute, qui s'attaquent à un parti d'Européens.

— Des Européens ! dit William Emery.

— Oui, monsieur William, répondit Mokoum. Ces détonations bruyantes ne peuvent être produites que par des armes européennes, et j'ajouterai par des armes de précision.

— Ces Européens seraient-ils donc ?... »

Mais le colonel, l'interrompant, s'écria :

« Messieurs, quels que soient ces Européens, il faut aller à leur secours.

— Oui ! oui ! allons ! allons ! » répéta William Emery, dont le cœur se serrait douloureusement.

Avant de se porter vers la montagne, le bushman voulut une dernière fois rallier sa petite troupe, qu'un parti de pillards pouvait inopinément entourer. Mais quand le chasseur fut revenu en arrière, la caravane était dispersée, les chevaux dételés, les chariots abandonnés, et quelques ombres, errant sur la plaine, disparaissaient déjà vers le sud.

« Les lâches ! s'écria Mokoum, soif, fatigues, ils oublient tout pour fuir !... »

Puis, retournant vers les Anglais et leurs braves matelots :

« En avant, nous autres ! » dit-il.

Les Européens et le chasseur s'élancèrent aussitôt dans la direction du nord, arrachant à leurs chevaux ce qui leur restait encore de force et de vitesse.

Vingt minutes après, on entendait distinctement le cri de guerre des Makololos. Quel était leur nombre, on ne pouvait encore l'estimer. Ces bandits indigènes faisaient évidemment l'assaut du Scorzef, dont le sommet se couronnait de feux. On entrevoyait des grappes d'hommes s'élevant sur ses flancs.

Bientôt, le colonel Everest et ses compagnons furent sur les derrières de la troupe assiégeante. Ils abandonnèrent alors leurs montures exténuées, et poussant un hurrah formidable, que les assiégés durent entendre, ils tirèrent leurs premiers coups de feu sur la masse des indigènes. En entendant les détonations nourries de ces armes à tir rapide, les Makololos crurent qu'ils étaient assaillis par une troupe nombreuse. Cette attaque soudaine les surprit, et ils reculèrent avant d'avoir fait usage de leurs flèches et de leurs assagaies.

Sans perdre un instant, le colonel Everest, sir John Murray, William Emery, le bushman, les marins, chargeant et tirant sans cesse, s'élancèrent au milieu du groupe des pillards. Une quinzaine de cadavres jonchaient déjà le sol.

Les Makololos se séparèrent. Les Européens se précipitèrent dans la trouée, et, renversant les indigènes les plus rapprochés, ils s'élevèrent à reculons sur les pentes de la montagne.

En dix minutes, ils eurent atteint le sommet perdu

dans l'ombre, car les assiégés avaient suspendu leur feu,
dans la crainte de frapper ceux qui venaient si opinément
à leur secours.

Et ces assiégés, c'étaient les Russes ! Ils étaient tous
là, Mathieu Strux, Nicolas Palander, Michel Zorn, leurs
cinq matelots. Mais des indigènes qui formaient autrefois leur caravane, il ne restait plus que le dévoué foreloper. Ces misérables Boschjesmen les avaient, eux aussi,
abandonnés au moment du danger.

Mathieu Strux, à l'instant où le colonel Everest apparut, s'élança du haut d'un petit mur qui couronnait le
sommet du Scorzef.

« Vous, messieurs les Anglais ! s'écria l'astronome de
Poulkowa.

— Nous-mêmes, messieurs les Russes, répondit le
colonel d'une voix grave. Mais ici, il n'y a plus ni
Russes ni Anglais ! Il n'y a que des Européens unis pour
se défendre ! »

XIX
Trianguler ou mourir

Un hurrah accueillit les paroles du colonel Everest.
En face de ces Makololos, devant un danger commun, les
Russes et les Anglais, oubliant la lutte internationale, ne
pouvaient que se réunir pour la défense commune. La
situation dominait tout, et de fait, la commission anglo-
russe se trouva reconstituée devant l'ennemi, plus forte.

plus compacte que jamais. William Emery et Michel Zorn étaient tombés dans les bras l'un de l'autre. Les autres Européens avaient scellé d'une poignée de main leur nouvelle alliance.

Le premier soin des Anglais fut de se désaltérer. L'eau, puisée au lac, ne manquait pas dans le campement des Russes. Puis, abrités sous une casemate faisant partie d'un fortin abandonné qui occupait le sommet du Scorzef, les Européens causèrent de tout ce qui s'était passé depuis leur séparation à Kolobeng. Pendant ce temps, les matelots surveillaient les Makololos, qui leur donnaient quelque répit.

Et d'abord, pourquoi les Russes se trouvaient-ils au sommet de ce mont, et si loin sur la gauche de leur méridienne ? Par la même raison qui avait rejeté les Anglais sur leur droite. Le Scorzef, situé à peu près à mi-chemin entre les deux arcs, était la seule hauteur de cette région qui pût servir à l'établissement d'une station sur les bords du Ngami. Il était donc tout naturel que les deux expéditions rivales, engagées sur cette plaine, se fussent rencontrées sur l'unique montagne qui pût servir à leurs observations. En effet, les méridiennes russe et anglaise aboutissaient au lac en deux points assez éloignés l'un de l'autre. De là, nécessité pour les opérateurs de joindre géodésiquement la rive méridionale du Ngami à sa rive septentrionale.

Mathieu Strux donna ensuite quelques détails sur les opérations qu'il venait d'accomplir. La triangulation depuis Kolobeng s'était faite sans incidents. Ce premier méridien que le sort avait attribué aux Russes, traversait un pays fertile, légèrement accidenté, qui offrait toute facilité à l'établissement d'un réseau trigonométrique. Les astronomes russes avaient souffert comme les Anglais de l'excessive température de ces climats, mais non du manque d'eau. Les rios abondaient dans la contrée et y entretenaient une humidité salutaire. Les chevaux et les bœufs s'étaient donc pour ainsi dire promenés au milieu d'un immense pâturage, à travers des prairies verdoyantes, coupées çà et là de forêts et de taillis. Quant aux animaux féroces, en disposant des brasiers allumés pendant la nuit, on les avait tenus à distance des campements. Pour les indigènes, c'étaient ces tribus sédentaires des bourgades et des villages chez lesquelles le docteur David Livingstone trouva presque toujours un accueil hospitalier. Pendant ce voyage, les Boschjesmen n'avaient donc eu aucun motif de se plaindre. Le 20 février, les Russes atteignirent le Scorzef, et ils y étaient établis depuis trente-six heures, quand les Makololos parurent dans la plaine au nombre de trois ou quatre cents. Aussitôt, les Boschjesmen, effrayés, abandonnèrent leur poste et laissèrent les Russes livrés à eux-mêmes. Les Makololos commencèrent par piller les chariots réunis au pied du mont ; mais très heureusement les instruments avaient été tout d'abord transportés dans le fortin. En outre, la chaloupe à vapeur était intacte jusqu'ici, car les Russes avaient eu le temps de la reconstruire avant l'arrivée des pillards, et en ce moment elle était mouillée dans une petite anse du Ngami. De ce côté, les flancs du mont tombaient à pic sur la rive droite du lac et la rendaient inaccessible. Mais au sud, le Scorzef offrait des pentes praticables, et dans cet assaut qu'ils venaient de tenter, les Makololos auraient peut-être réussi à s'élever jusqu'au fortin sans la providentielle arrivée des Anglais.

Tel fut sommairement le récit de Mathieu Strux. Le colonel Everest lui apprit, à son tour, les incidents qui avaient marqué sa marche vers le nord, les souffrances et les fatigues de l'expédition, la révolte des Boschjesmen, les difficultés et les obstacles qu'on avait dû surmonter. De tout ceci, il résultait que les Russes avaient été plus favorisés que les Anglais depuis leur départ de Kolobeng.

La nuit du 21 au 22 février se passa sans incidents. Le bushman et les marins avaient veillé au pied des murailles du fortin. Les Makololos ne renouvelèrent pas leurs attaques. Mais quelques feux, allumés au pied de la montagne, prouvaient que ces bandits bivouaquaient toujours à cette place, et qu'ils n'avaient point abandonné leur projet.

Le lendemain, 22 février, au lever du jour, les Européens, quittant leur casemate, vinrent observer la plaine. Les premières lueurs matinales éclairèrent presque d'un seul coup ce vaste territoire jusqu'aux limites de l'horizon. Du côté du sud, c'était le désert avec son sol jaunâtre, ses herbes brûlées, son aspect aride. Au pied du mont s'arrondissait le campement au milieu duquel fourmillaient quatre à cinq cents indigènes. Leurs feux brûlaient encore. Quelques morceaux de venaison grillaient sur des charbons ardents. Il était évident que les Makololos ne voulaient pas abandonner la place, bien que tout ce que la caravane avait de précieux, son matériel, ses chariots, ses chevaux, ses bœufs, ses approvisionnements, fût tombé en leur pouvoir : mais ce butin ne leur suffisait pas sans doute, et, après avoir massacré les Européens, ils voulaient s'emparer de leurs armes, dont le colonel et les siens venaient de faire un si terrible usage.

Les savants russes et anglais, ayant observé le campement indigène, s'entretinrent longuement avec le bushman. Il s'agissait de prendre une résolution définitive. Mais cette résolution devait dépendre d'un certain concours de circonstances, et avant tout, il fallait relever exactement la situation du Scorzef.

Cette montagne, les astronomes savaient déjà qu'elle dominait au sud les immenses plaines qui s'étendent jusqu'au Karrou. A l'est et à l'ouest, c'était la prolongation du désert suivant son plus petit diamètre. Vers l'ouest, le regard saisissait à l'horizon la silhouette affaiblie des collines qui bordent le fertile pays des Makololos, dont Maketo, l'une des capitales, est située à cent milles environ dans le nord-est du Ngami.

Vers le nord, au contraire, le mont Scorzef dominait un pays tout différent. Quel contraste avec les arides steppes du sud ! De l'eau, des arbres, des pâturages, et toute cette toison du sol qu'une humidité persistante peut entretenir ! Sur une étendue de cent milles au moins, le Ngami déroulait de l'est à l'ouest ses belles eaux, qui s'animaient alors sous les rayons du soleil levant. La plus grande largeur du lac se développait dans le sens des parallèles terrestres. Mais du nord au sud, il ne devait pas mesurer plus de trente à quarante milles. Au-delà, la contrée se dessinait en pente douce, très variée d'aspect, avec ses forêts, ses pâturages, ses cours d'eau, affluents du Lyambie ou du Zambèse, et tout au nord, mais à quatre-vingts milles au moins, une chaîne de petites montagnes l'encadrait de son pittoresque contour. Beau pays, jeté comme une oasis, au milieu de ces déserts ! Son sol, admirablement irrigué, toujours revivifié par un réseau de veines liquides, respirait la vie. C'était le Zambèse, le grand fleuve, qui, par ses tributaires, entretenait cette végétation prodigieuse ! Immense artère, qui est à l'Afrique australe, ce que le Danube est à l'Europe, et l'Amazone à l'Amérique du Sud !

Tel était ce panorama qui se développait aux regards des Européens. Quant au Scorzef, il s'élevait sur la rive même du lac, et, ainsi que Mathieu Strux l'avait dit, ses flancs, du côté du nord, tombaient à pic dans les eaux du Ngami. Mais il n'est pentes si raides que les marins ne puissent monter ou descendre, et, par un étroit raidillon qui s'en allait de pointe en pointe, ils étaient parvenus jusqu'au niveau du lac, à l'endroit même où la chaloupe à vapeur était mouillée. L'approvisionnement d'eau était donc assuré, et la petite garnison pouvait tenir, tant que

ses vivres dureraient, derrière les murailles du fortin abandonné.

Mais pourquoi ce fortin dans le désert, au sommet de cette montagne ? On interrogea Mokoum, qui avait déjà visité cette contrée, lorsqu'il servait de guide à David Livingstone. Il fut en mesure de répondre.

Ces environs du Ngami étaient fréquemment visités autrefois par des marchands d'ivoire ou d'ébène. L'ivoire, ce sont les éléphants et les rhinocéros qui le fournissent. L'ébène, c'est cette chair humaine, cette chair vivante dont trafiquent les courtiers de l'esclavage. Tout le pays du Zambèse est encore infesté de misérables étrangers qui font la traite des Noirs. Les guerres, les razzias, les pillages de l'intérieur procurent un grand nombre de prisonniers, et les prisonniers sont vendus comme esclaves. Or, précisément, cette rive du Ngami formait un lieu de passage pour les commerçants venant de l'ouest. Le Scorzef était, autrefois, le centre du campement des caravanes. C'est là qu'elles se reposaient avant d'entreprendre la descente du Zambèse jusqu'à son embouchure. Les trafiquants avaient donc fortifié cette position, afin de se protéger, eux et leurs esclaves, contre les déprédations des pillards, car il n'était pas rare que les prisonniers indigènes fussent repris par ceux-là mêmes qui les avaient vendus et qui les vendaient à nouveau.

Telle était l'origine de ce fortin, mais, à cette époque, il tombait en ruine. L'itinéraire des caravanes avait été changé. Le Ngami ne les recevait plus sur ses bords, le Scorzef n'avait plus à les défendre, et les murailles qui le couronnaient s'en allaient pierre par pierre. De ce fortin, il ne restait qu'une enceinte découpée en forme de secteur, dont l'arc faisait face au sud, et la corde face au nord. Au centre de cette enceinte s'élevait une petite redoute casematée, percée de meurtrières, que surmontait un étroit donjon de bois dont le profil, réduit par la distance, avait servi de mire aux lunettes du colonel

Everest. Mais, si ruiné qu'il fût, le fortin offrait encore une retraite sûre aux Européens. Derrière ces murailles faites d'un grès épais, armés comme ils l'étaient de fusils à tir rapide, ils pouvaient tenir contre une armée de Makololos, tant que les vivres et les munitions ne leur manqueraient pas, et achever peut-être leur opération géodésique.

Les munitions, le colonel et ses compagnons en avaient en abondance, car le coffre qui les contenait avait été placé dans le chariot servant au transport de la chaloupe à vapeur, et ce chariot, on le sait, les indigènes ne s'en étaient pas emparés.

Les vivres, c'était autre chose. Là était la difficulté. Les chariots d'approvisionnement n'avaient point échappé au pillage. Il n'y avait pas dans le fortin de quoi nourrir pendant deux jours les dix-huit hommes qui s'y trouvaient réunis, c'est-à-dire les trois astronomes anglais, les trois astronomes russes, les dix marins de la *Queen and Tzar*, le bushman et le foreloper.

C'est ce qui fut bien et dûment constaté par un inventaire minutieux fait par le colonel Everest et Mathieu Strux.

Cet inventaire terminé et le déjeuner du matin pris — un déjeuner fort sommaire —, les astronomes et le bushman se réunirent dans la redoute casematée, tandis que les marins faisaient bonne garde autour des murailles du fortin.

On discutait cette circonstance très grave de la pénurie des vivres, et on ne savait qu'imaginer pour remédier à une disette certaine, sinon immédiate, quand le chasseur fit l'observation suivante :

« Vous vous préoccupez, messieurs, du défaut d'approvisionnement ; et vraiment, je ne vois pas ce qui vous inquiète. Nous n'avons de vivres que pour deux jours, dites-vous ? Mais qui nous oblige à rester deux jours dans ce fortin ? Ne pouvons-nous le quitter demain, aujourd'hui même ? Qui nous en empêche ? Les Makololos ? Mais ils ne courent pas les eaux du Ngami, que je sache, et, avec la chaloupe à vapeur, je me charge de vous conduire en quelques heures sur la rive septentrionale du lac ! »

A cette proposition, les savants se regardèrent et regardèrent le bushman. Il semblait vraiment que cette idée, si naturelle, ne leur fût pas venue à l'esprit.

Et en effet, elle ne leur était pas venue ! Elle ne pouvait venir à ces audacieux, qui, dans cette mémorable expédition, devaient se montrer jusqu'au bout les héros de la science.

Ce fut sir John Murray qui prit la parole le premier, et il répondit au bushman :

« Mais, mon brave Mokoum, nous n'avons pas achevé notre opération.

— Quelle opération ?

— La mesure de la méridienne !

— Croyez-vous donc que les Makololos se soucient de votre méridienne ? répliqua le chasseur.

— Qu'ils ne s'en soucient pas, c'est possible, reprit sir John Murray, mais nous nous en soucions, nous autres, et nous ne laisserons pas cette entreprise inachevée. N'est-ce pas votre avis, mes chers collègues ?

— C'est notre avis, répondit le colonel Everest, qui, parlant au nom de tous, se fit l'interprète de sentiments que chacun partageait. Nous n'abandonnerons pas la mesure de la méridienne ! Tant que l'un de nous survivra, tant qu'il pourra appliquer son œil à l'oculaire d'une lunette, la triangulation suivra son cours ! Nous observerons, s'il le faut, le fusil d'une main, l'instrument de l'autre, mais nous tiendrons ici jusqu'à notre dernier souffle.

— Hurrah pour l'Angleterre ! hurrah pour la Russie ! » crièrent ces énergiques savants, qui mettaient au-dessus de tout danger l'intérêt de la science.

Le bushman regarda un instant ses compagnons, et ne répondit pas. Il avait compris.

Cela était donc convenu. L'opération géodésique serait continuée quand même. Mais les difficultés locales, cet obstacle du Ngami, le choix d'une station convenable, ne la rendraient-ils pas impraticable ?

Cette question fut posée à Mathieu Strux. L'astronome russe, depuis deux jours qu'il occupait le sommet du Scorzef, devait pouvoir y répondre.

« Messieurs, dit-il, l'opération sera difficile, minutieuse, elle demandera de la patience et du zèle, mais elle n'est point impraticable. De quoi s'agit-il ? De relier géodésiquement le Scorzef avec une station située au nord du lac ? Or, cette station existe-t-elle ? Oui, elle existe, et j'avais déjà choisi à l'horizon un pic qui pût servir de mire à nos lunettes. Il s'élève dans le nord-ouest du lac, de telle sorte que ce côté du triangle coupera le Ngami suivant une ligne oblique.

— Eh bien, dit le colonel Everest, si le point de mire existe, où est la difficulté ?

— La difficulté, répondit Mathieu Strux, sera dans la distance qui sépare le Scorzef de ce pic !

— Quelle est donc cette distance ? demanda le colonel Everest.

— Cent vingt milles au moins.

— Notre lunette la franchira.

— Mais il faudra allumer un fanal au sommet de ce pic !

— On l'allumera.

— Il faudra l'y porter ?

— On l'y portera.

— Et pendant ce temps, se défendre contre les Makololos ! ajouta le bushman.

— On se défendra !

— Messieurs, dit le bushman, je suis à vos ordres, et je ferai ce que vous me commanderez de faire !... »

Ainsi se termina par ces paroles du dévoué chasseur cette conversation de laquelle avait dépendu le sort de l'opération scientifique. Les savants bien unis dans la même pensée, et décidés à se sacrifier s'il le fallait, sortirent de la casemate, et vinrent observer le pays qui s'étendait au nord du lac.

Mathieu Strux indiqua le pic dont il avait fait choix. C'était le pic du Volquiria, sorte de cône que la distance rendait à peine visible. Il s'élevait à une grande hauteur, et, malgré la distance, un puissant fanal électrique pourrait être aperçu dans le champ des lunettes, munies d'oculaires grossissants. Mais ce réverbère, il fallait le porter à plus de cent milles du Scorzef, et le hisser au sommet du mont. Là était la difficulté véritable, mais non insurmontable. L'angle que formait le Scorzef avec le Volquiria, d'une part, et avec la station précédente, de l'autre, terminerait probablement la mesure de la méridienne, car le pic devait être situé bien près du vingtième parallèle. On comprend donc toute l'importance de l'opération, et avec quelle ardeur les astronomes chercheraient à en vaincre les obstacles.

Il fallait, avant tout, procéder à l'établissement du réverbère. C'étaient cent milles à faire dans un pays inconnu. Michel Zorn et William Emery s'offrirent. Ils furent acceptés. Le foreloper consentit à les accompagner, et ils se préparèrent aussitôt à partir.

Emploieraient-ils la chaloupe à vapeur ? non. Ils voulaient qu'elle restât à la disposition de leurs collègues, qui seraient peut-être dans la nécessité de s'éloigner rapidement, après avoir terminé leur observation, afin d'échapper plus rapidement aux poursuites des Makololos. Pour traverser le Ngami, il suffisait de construire un de ces canots d'écorce de bouleau, à la fois légers et résistants, que les indigènes savent fabriquer en quelques heures. Mokoum et le foreloper descendirent jusqu'à la

berge du lac où poussaient quelques bouleaux nains, et ils eurent rapidement achevé leur besogne.

A huit heures du soir, le canot était chargé des instruments, de l'appareil électrique, de quelques vivres, d'armes et de munitions. Il fut convenu que les astronomes se retrouveraient sur la rive méridionale du Ngami, au bord d'une crique que le bushman et le foreloper connaissaient tous deux. De plus, dès que le réverbère du Volquiria aurait été aperçu et relevé, le colonel Everest allumerait un fanal au sommet du Scorzef, afin que Michel Zorn et William Emery pussent, à leur tour, en déterminer la position.

Après avoir pris congé de leurs collègues, Michel Zorn et William Emery quittèrent le fortin, et descendirent jusqu'au canot. Le foreloper, un marin russe et un marin anglais les y avaient précédés.

L'obscurité était profonde. L'amarre fut larguée, et la frêle embarcation, sous l'impulsion de ses pagaies, se dirigea silencieusement à travers les eaux sombres du Ngami.

XX
Huit jours
au sommet du Scorzef

Ce n'était pas sans un serrement de cœur que les astronomes avaient vu s'éloigner leurs deux jeunes collègues. Que de fatigues, que de dangers peut-être attendaient ces courageux jeunes gens, au milieu de ce pays inconnu qu'ils allaient traverser sur un espace de cent milles ! Cependant, le bushman rassura leurs amis, en vantant l'habileté et le courage du foreloper. Il était supposable, d'ailleurs, que les Makololos, très occupés autour du Scorzef, ne battraient pas la campagne dans le nord du Ngami. En somme — et son instinct ne le trompait pas —, Mokoum trouvait le colonel Everest et ses compagnons plus exposés dans le fortin que les deux jeunes astronomes sur les routes du nord.

Les marins et le bushman veillèrent tour à tour pendant cette nuit. L'ombre, en effet, devait favoriser les dispositions hostiles des indigènes. Mais « ces reptiles » — ainsi les appelait le chasseur — ne se hasardèrent pas encore sur les flancs du Scorzef. Peut-être attendaient-ils des renforts, de manière à envahir la montagne par toutes ses pentes, et annuler, par leur nombre, les moyens de résistance des assiégés.

Le chasseur ne s'était pas mépris dans ses conjectures, et quand le jour revint, le colonel Everest put constater un accroissement notable dans le nombre des Makolo-

los. Leur campement, habilement disposé, entourait la base du Scorzef et rendait toute fuite impossible par la plaine. Heureusement, les eaux du Ngami n'étaient pas et ne pouvaient être gardées, et, le cas échéant, la retraite, à moins de circonstances imprévues, resterait toujours praticable par le lac.

Mais il n'était pas question de fuir. Les Européens occupaient un poste scientifique, un poste d'honneur qu'ils n'entendaient point abandonner. A cet égard, un parfait accord régnait entre eux. Il n'existait même plus trace des dissensions personnelles qui avaient autrefois divisé le colonel Everest et Mathieu Strux. Jamais non plus il n'était question de la guerre qui mettait aux prises en ce moment l'Angleterre et la Russie. Aucune allusion ne se produisait à ce sujet. Tous deux, ces savants, marchaient au même but ; tous deux voulaient obtenir ce résultat également utile aux deux nations, et accomplir leur œuvre scientifique.

En attendant l'heure à laquelle brillerait le fanal au sommet du Volquiria, les deux astronomes s'occupèrent d'achever la mesure du triangle précédent. Cette opération, qui consistait à viser avec la double lunette les deux dernières stations de l'itinéraire anglais, se fit sans difficultés, et le résultat en fut consigné par Nicolas Palander. Cette mesure achevée, il fut convenu que, pendant les nuits suivantes, on ferait de nombreuses observations d'étoiles, de manière à obtenir avec une précision rigoureuse la latitude du Scorzef.

Une question importante dut être également décidée avant toute autre, et Mokoum fut naturellement appelé à donner son avis dans cette circonstance. En quel minimum de temps Michel Zorn et William Emery pouvaient-ils atteindre la chaîne de montagnes qui se développait au nord du Ngami, et dont le pic principal devait servir de point d'appui au dernier triangle du réseau ?

Le bushman ne put estimer à moins de cinq jours le

temps nécessaire pour gagner le poste en question. En effet, une distance de plus de cent milles le séparait du Scorzef. La petite troupe du foreloper marchait à pied, et, en tenant compte des difficultés que devait présenter une région souvent coupée par des rios, cinq jours seraient même un laps de temps fort court.

On adopta donc un maximum de six jours, et sur cette base on établit la réglementation de la nourriture.

La réserve de vivres était fort restreinte. Il avait fallu en abandonner une portion à la petite troupe du foreloper, en attendant le moment où elle pourrait s'approvisionner par la chasse. Les vivres, transportés dans le fortin et diminués de cette portion, ne devaient plus fournir à chacun sa ration ordinaire que pendant deux jours. Ils consistaient en quelques livres de biscuits, de viande conservée et de pemmican. Le colonel Everest, d'accord avec ses collègues, décida que la ration quotidienne serait réduite au tiers. De cette manière on pourrait attendre jusqu'au sixième jour, que la lumière, incessamment guettée, parût à l'horizon. Les quatre Européens, leurs six matelots, le bushman, onze hommes en tout, souffriraient certainement de cette alimentation insuffisante, mais ils étaient au-dessus de pareilles souffrances.

« D'ailleurs, il n'est pas défendu de chasser ! » dit sir John Murray au bushman.

Le bushman secoua la tête d'un air de doute. Il lui paraissait difficile que, sur ce mont isolé, le gibier ne fût pas très rare. Mais ce n'était pas une raison pour laisser son fusil au repos, et ces déterminations prises, tandis que ses collègues s'occupaient de réduire les mesures consignées sur le double registre de Nicolas Palander, sir John, accompagné de Mokoum, quitta l'enceinte du fortin, afin d'opérer une reconnaissance exacte du mont Scorzef.

Les Makololos, tranquillement campés à la base de la montagne, ne semblaient aucunement pressés de donner l'assaut. Peut-être leur intention était-elle de réduire les assiégés par la famine !

L'inventaire du mont Scorzef fut rapidement effectué. L'emplacement sur lequel s'élevait le fortin ne mesurait pas un quart de mille dans sa plus grande dimension. Le sol, recouvert d'une herbe assez épaisse, entremêlée de cailloux, était coupé çà et là de quelques buissons bas, formés en partie de glaïeuls. Des bruyères rouges, des protées aux feuilles d'argent, des éricacées à longs festons, composaient la flore de la montagne. Sur ses flancs, mais sous des angles très abrupts figurés par des saillies de roc qui perçaient l'écorce du mont, poussaient des arbrisseaux épineux, hauts de dix pieds, à grappes de fleurs blanches, odorantes comme les fleurs du jasmin, et dont le bushman ignorait le nom[1]. Quant à la faune, après une heure d'observation, sir John était encore à en voir le moindre échantillon. Cependant, quelques petits oiseaux, à rémiges foncées et à becs rouges, s'échappèrent de quelques buissons, et certainement, au premier coup de fusil, toute cette bande ailée eût disparu pour ne plus revenir. On ne devait donc pas compter sur les produits de la chasse pour ravitailler la garnison.

« On pourra toujours pêcher dans les eaux du lac, dit sir John, s'arrêtant sur le revers septentrional du Scorzef, et contemplant la magnifique étendue du Ngami.

— Pêcher sans filet et sans ligne, répondit le bushman, c'est vouloir prendre des oiseaux au vol. Mais ne désespérons point. Votre Honneur sait que le hasard nous a souvent servis jusqu'ici, et je pense qu'il nous servira encore.

— Le hasard ! répliqua sir John Murray, mais quand Dieu veut le stimuler, c'est le plus fidèle pourvoyeur du genre humain que je connaisse ! Pas d'agent plus sûr,

1. Ces arbrisseaux, dont les fruits sont des baies assez semblables à l'épine-vinette, doivent appartenir à l'espèce *Ardunia bispinosa*, sorte d'arbustes auxquels les Hottentots donnent le nom de *Num'num*.

pas de majordome plus ingénieux ! Il nous a conduits auprès de nos amis les Russes, il les a amenés précisément où nous voulions venir nous-mêmes, et, les uns et les autres, il nous portera tout doucement au but que nous voulons atteindre !

— Et il nous nourrira ?... demanda le bushman.

— Il nous nourrira certainement, ami Mokoum, répondit sir John, et ce faisant, il ne fera que son devoir ! »

Les paroles de Son Honneur étaient rassurantes à coup sûr. Toutefois, le bushman se dit que le hasard était un serviteur qui demandait à être un peu servi par ses maîtres, et il se promit bien de l'aider au besoin.

La journée du 25 février n'amena aucun changement dans la situation respective des assiégeants et des assiégés. Les Makololos restaient dans leur camp. Des troupeaux de bœufs et de moutons paissaient sur les parties les plus rapprochées du Scorzef que les infiltrations du sol maintenaient à l'état de pâturages. Les chariots pillés avaient été amenés au campement. Quelques femmes et des enfants, ayant rejoint la tribu nomade, vaquaient aux travaux ordinaires. De temps en temps, quelque chef, reconnaissable à la richesse de ses fourrures, s'élevait sur les rampes de la montagne et cherchait à reconnaître les sentes praticables qui conduisaient le plus sûrement à son sommet. Mais la balle d'un rifle rayé le ramenait promptement au sol de la plaine. Les Makololos répondaient alors à la détonation par leur cri de guerre, ils lançaient quelques flèches inoffensives, ils brandissaient leurs assagaies, et tout rentrait dans le calme.

Cependant, le 26 février, ces indigènes firent une tentative un peu plus sérieuse, et, au nombre d'une cinquantaine, ils escaladèrent le mont par trois côtés à la fois. Toute la garnison se porta en dehors du fortin, au pied de l'enceinte. Les armes européennes, si rapidement chargées et tirées, causèrent quelque ravage dans les rangs des Makololos. Cinq ou six de ces pillards furent

tués, et le reste de la bande abandonna la partie. Cependant, et malgré la rapidité de leur tir, il fut évident que les assiégés pourraient être débordés par le nombre. Si plusieurs centaines de ces Makololos se précipitaient simultanément à l'assaut de la montagne, il serait difficile de leur faire face sur tous les côtés. Sir John Murray eut alors l'idée de protéger le front du fortin, en y installant la mitrailleuse qui formait le principal armement de la chaloupe à vapeur. C'était un excellent moyen de défense. Toute la difficulté consistait à hisser cet engin pesant, par ces rocs étagés d'aplomb, très difficiles à gravir. Cependant, les marins de la *Queen and Tzar* se montrèrent si adroits, si agiles, on dira même si audacieux, que, dans la journée du 26, la redoutable mitrailleuse fut installée dans une embrasure de l'enceinte crénelée. Là, ses vingt-cinq canons, dont le tir se disposait en éventail, pouvaient couvrir de leurs feux tout le front du fortin. Les indigènes devaient faire bientôt connaissance avec cet engin de mort que les nations civilisées allaient, vingt ans plus tard, introduire dans leur matériel de guerre.

Pendant leur inaction forcée au sommet du Scorzef, les astronomes avaient calculé chaque nuit des hauteurs d'étoiles. Le ciel très pur, l'atmosphère très sèche leur permirent de faire d'excellentes observations. Ils obtinrent pour la latitude du Scorzef 19°37'18", 265, valeur approchée jusqu'aux millièmes de seconde, c'est-à-dire à un mètre près. Il était impossible de pousser plus loin l'exactitude. Ce résultat les confirma dans la pensée qu'ils se trouvaient à moins d'un demi-degré du point septentrional de leur méridienne, et que, conséquemment, ce triangle dont ils cherchaient à appuyer le sommet sur le pic du Volquiria, terminerait le réseau trigonométrique.

La nuit qui s'écoula du 26 au 27 février ne vit pas se renouveler les tentatives des Makololos. La journée du 27 parut bien longue à la petite garnison. Si les circonstances avaient favorisé le foreloper, parti depuis cinq jours, il était possible que ses compagnons et lui fussent arrivés, ce jour même, au Volquiria. Donc, pendant la nuit suivante, il fallait observer l'horizon avec un soin extrême, car la lumière du fanal pourrait y apparaître. Le colonel Everest et Mathieu Strux avaient déjà braqué l'instrument sur le pic, de telle façon que celui-ci fût encadré dans le champ de l'objectif. Cette précaution simplifiait des recherches qui, sans point de repère, devenaient très difficiles par une nuit obscure. Si la lumière se faisait au sommet du Volquiria, aussitôt elle serait vue, et la détermination de l'angle serait acquise.

Pendant cette journée, sir John battit vainement les buissons et les grandes herbes. Il ne put en dépister aucun animal comestible ou à peu près. Les oiseaux eux-mêmes, troublés dans leur retraite, avaient été chercher au milieu des taillis de la rive de plus sûrs abris. L'honorable chasseur se dépitait, car alors il ne chassait pas pour son plaisir, il travaillait *pro domo sua*, si toutefois ce vocable latin peut s'appliquer à l'estomac d'un Anglais. Sir John, doué d'un appétit robuste, qu'un tiers de ration ne pouvait satisfaire, souffrait véritablement de la faim. Ses collègues supportaient plus facilement cette abstinence, soit que leur estomac fût moins impérieux, soit qu'à l'exemple de Nicolas Palander ils pussent remplacer le beefsteak traditionnel par une ou deux équations du deuxième degré. Quant aux matelots et au bushman, ils avaient faim tout comme l'honorable sir John. Or, la mince réserve de vivres touchait à son terme. Encore un jour, tout aliment aurait été consommé, et si l'expédition du foreloper était retardée dans sa marche, la garnison du fortin serait promptement aux abois.

Toute la nuit du 27 au 28 février se passa en observations. L'obscurité, calme et pure, favorisait singulièrement les astronomes. Mais l'horizon demeura perdu dans l'ombre épaisse. Pas une lueur n'en détacha le profil. Rien n'apparut dans l'objectif de la lunette.

Toutefois, le minimum du délai attribué à l'expédition de Michel Zorn et de William Emery était à peine atteint. Leurs collègues ne pouvaient donc que s'armer de patience et attendre.

Pendant la journée du 28 février, la petite garnison du Scorzef mangea son dernier morceau de viande et de biscuit. Mais l'espoir de ces courageux savants ne faiblissait pas encore, et dussent-ils se repaître d'herbes, ils étaient résolus à ne point abandonner la place avant l'achèvement de leur travail.

La nuit du 28 février au 1er mars ne donna encore aucun résultat. Une ou deux fois, les observateurs crurent apercevoir la lueur du fanal. Mais, vérification faite, cette lueur n'était qu'une étoile embrumée à l'horizon.

Pendant la journée du 1er mars, on ne mangea pas. Probablement accoutumés depuis quelques jours à une nourriture très insuffisante, le colonel Everest et ses compagnons supportèrent plus facilement qu'ils ne le croyaient ce manque absolu d'aliments, mais, si la Providence ne leur venait pas en aide, le lendemain leur réservait de cruelles tortures.

Le lendemain, la Providence ne les combla pas sans doute ; aucun gibier d'aucune sorte ne vint solliciter un coup de fusil de sir John Murray, et, cependant, la garnison, qui n'avait pas le droit de se montrer difficile, parvint à se restaurer tant soit peu.

En effet, sir John et Mokoum, tiraillés par la faim, l'œil hagard, s'étaient mis à errer sur le sommet du Scorzef. Une faim tenace leur déchirait les entrailles. En viendraient-ils donc à brouter cette herbe qu'ils foulaient du pied, ainsi que l'avait dit le colonel Everest !

« Si nous avions des estomacs de ruminants ! pensait le pauvre sir John, quelle consommation nous ferions de ce pâturage ! Et pas un gibier, pas un oiseau ! »

En parlant ainsi, sir John portait ses regards sur ce vaste lac qui s'étendait au-dessous de lui. Les marins de la *Queen and Tzar* avaient essayé de prendre quelques poissons, mais en vain. Quant aux oiseaux aquatiques qui voltigeaient à la surface de ces eaux tranquilles, ils ne se laissaient point approcher.

Cependant, sir John et son compagnon, qui ne marchaient pas sans une extrême fatigue, s'étendirent bientôt sur l'herbe, au pied d'un monticule de terre, haut de cinq à six pieds. Un sommeil pesant, plutôt un engourdissement qu'un sommeil, envahit leur cerveau. Sous cette oppression, leurs paupières se fermèrent involontairement. Peu à peu, ils tombèrent dans un véritable état de torpeur. Le vide qu'ils sentaient en eux les anéantissait. Cette torpeur, au surplus, pouvait suspendre un instant les douleurs qui les déchiraient, et ils s'y laissaient aller.

Combien de temps eût duré cet engourdissement, ni le bushman ni sir John n'auraient pu le dire ; mais, une heure après, sir John se sentit réveillé par une succession de picotements très désagréables. Il se secoua, il chercha à se rendormir, mais les picotements persistèrent, et, impatienté enfin, il ouvrit les yeux.

Des légions de fourmis blanches couraient sur ses vêtements. Sa figure, ses mains en étaient couvertes. Cette invasion d'insectes le fit se lever comme si un ressort se fût détendu en lui. Ce brusque mouvement réveilla le bushman, étendu à son côté. Mokoum était également couvert de ces fourmis blanches. Mais, à l'extrême surprise de sir John, Mokoum, au lieu de chasser ces insectes, les prit par poignées, les porta à sa bouche et les mangea avidement.

« Ah ! pouah ! Mokoum ! fit sir John, que cette voracité écœurait.

— Mangez ! mangez ! faites comme moi ! répondit le chasseur, sans perdre une bouchée. Mangez ! C'est le riz des Boschjesmen !... »

Mokoum venait, en effet, de donner à ces insectes leur dénomination indigène. Les Boschjesmen se nourrissent volontiers de ces fourmis dont il existe deux espèces, la fourmi blanche et la fourmi noire. La fourmi blanche est, suivant eux, de qualité supérieure. Le seul défaut de cet insecte, considéré du point de vue alimentaire, c'est qu'il en faut absorber des quantités considérables. Aussi, les Africains mélangent-ils habituellement ces fourmis avec la gomme du mimosa. Ils obtiennent ainsi une nourriture plus substantielle. Mais le mimosa manquait sur le sommet du Scorzef, et Mokoum se contenta de manger son riz « au naturel ».

Sir John, malgré sa répugnance, poussé par une faim que la vue du bushman se rassasiant accroissait encore, se décida à l'imiter. Les fourmis sortaient par milliards de leur énorme fourmilière, qui n'était autre que ce monticule de terre près duquel les deux dormeurs s'étaient accotés. Sir John les prit à poignées et les porta à ses lèvres. Véritablement, cette substance ne lui déplut pas. Il lui trouva un goût acide fort agréable, et sentit ses tiraillements d'estomac se calmer un peu.

Cependant, Mokoum n'avait point oublié ses compagnons d'infortune. Il courut au fortin et en ramena toute la garnison. Les marins ne firent aucune difficulté pour se jeter sur cette nourriture singulière. Peut-être le colonel, Mathieu Strux et Palander hésitèrent-ils un instant. Cependant, l'exemple de sir John Murray les décida, et ces pauvres savants, à demi morts d'inanition, trompèrent au moins leur faim en avalant des quantités innombrables de ces fourmis blanches.

Mais un incident inattendu vint procurer une alimentation plus solide au colonel Everest et à ses compagnons. Mokoum, afin de faire une provision de ces insectes, eut l'idée de démolir un côté de l'énorme fourmilière. C'était, on l'a dit, un monticule conique, flanqué de cônes plus petits, disposés circulairement à sa base.

Le chasseur, armé de sa hache, avait déjà porté plusieurs coups à l'édifice, quand un bruit singulier attira son attention. On eût dit un grognement qui se produisait à l'intérieur de la fourmilière. Le bushman suspendit son travail de démolition, et il écouta. Ses compagnons le regardaient sans prononcer une parole. Quelques nouveaux coups de hache furent portés par lui. Un grognement plus accentué se fit entendre.

Le bushman se frotta les mains sans mot dire, et ses yeux brillèrent de convoitise. Sa hache attaqua de nouveau le monticule, de manière à pratiquer un trou large d'un pied environ. Les fourmis fuyaient de toutes parts, mais le chasseur ne s'en préoccupait pas, et laissait aux matelots le soin de les enfermer dans des sacs.

Tout à coup, un animal bizarre parut à l'orifice du trou. C'était un quadrupède, pourvu d'un long museau, bouche petite, langue extensible, oreilles droites, jambes courtes, queue longue et pointue. De longues soies grises à teintes rouges couvraient son corps plat, et d'énormes griffes armaient ses jambes.

Un coup sec, appliqué par Mokoum sur le museau de cet étrange animal, suffit à le tuer.

« Voilà notre rôti, messieurs, dit le bushman. Il s'est fait attendre, mais il n'en sera pas moins bon ! Allons, du feu, une baguette de fusil pour broche, et nous dînerons comme nous n'avons jamais dîné ! »

Le bushman ne s'avançait pas trop. Cet animal qu'il dépouilla avec prestesse, c'était un oryctérope, sorte de tamanoir ou mangeur de fourmis, que les Hollandais connaissent aussi sous le nom de « cochon de terre ». Il est fort commun dans l'Afrique australe, et les fourmilières n'ont pas de plus grand ennemi. Ce myrmécophage détruit des légions d'insectes, et quand il ne peut s'introduire dans leurs galeries étroites, il les pêche, en y glissant sa langue extensible et visqueuse qu'il retire toute beurrée de ces fourmis.

Le rôti fut bientôt à point. Il lui manqua peut-être quelques tours de broche, mais les affamés étaient si impatients ! La moitié de l'animal y passa, et sa chair, ferme et salubre, fut déclarée excellente, bien que légèrement imprégnée d'acide formique. Quel repas, et comme il rendit avec de nouvelles forces le courage et l'espoir à ces vaillants Européens !

Et il fallait, en effet, qu'ils eussent l'espoir enraciné au cœur, car, la nuit suivante, aucune lueur n'apparut encore sur le sombre pic du Volquiria !

XXI
"Fiat lux !"

Le foreloper et sa petite troupe étaient partis depuis neuf jours. Quels incidents avaient retardé leur marche ? Les hommes ou les animaux s'étaient-ils placés devant eux comme un infranchissable obstacle ? Pourquoi ce retard ? Devait-on en conclure que Michel Zorn et William Emery avaient été absolument arrêtés dans leur marche ? Ne pouvait-on penser qu'ils étaient irrévocablement perdus ?

On conçoit les craintes, les transes, les alternatives d'espoir et de désespoir par lesquelles passaient les astronomes emprisonnés dans le fortin du Scorzef. Leurs collègues, leurs amis étaient partis depuis neuf jours ! En six, en sept jours au plus, ils auraient dû arriver au but. C'étaient des hommes actifs, courageux, entraînés par l'héroïsme scientifique. De leur présence au sommet du pic du Volquiria dépendait le succès de la grande entre prise. Ils le savaient, ils n'avaient rien dû négliger pour réussir. Le retard ne pouvait leur être imputé. Si donc, neuf jours après leur départ, le fanal n'avait pas brillé au sommet du Volquiria, c'est qu'ils étaient morts ou pri sonniers des tribus nomades !

Telles étaient les pensées décourageantes, les affli geantes hypothèses qui se formaient dans l'esprit du colonel Everest et de ses collègues. Avec quelle impa tience ils attendaient que le soleil eût disparu au-dessous de l'horizon, afin de commencer leurs observations noc turnes ! Quels soins ils y apportaient ! Toute leur espé rance s'attachait à cet oculaire qui devait saisir la lueur lointaine ! Toute leur vie se concentrait dans le champ étroit d'une lunette ! Pendant cette journée du 3 mars, errant sur les pentes du Scorzef, échangeant à peine quelques paroles, tous dominés par une idée unique, ils souffrirent comme ils n'avaient jamais souffert ! Non, ni les chaleurs excessives du désert, ni les fatigues d'une pérégrination diurne sous les rayons d'un soleil tropical, ni les tortures de la soif ne les avaient accablés à ce point !

Pendant cette journée, les derniers morceaux de l'oryctérope furent dévorés, et la garnison du fortin se trouva réduite alors à cette insuffisante alimentation puisée dans les fourmilières.

La nuit vint, une nuit sans lune, calme et profonde, particulièrement propice aux observations... Mais aucune lueur ne révéla la pointe du Volquiria. Jusqu'aux premières lueurs matinales, le colonel Everest et Mathieu Strux, se relayant, surveillèrent l'horizon avec une cons tance admirable. Rien, rien n'apparut, et les rayons du soleil rendirent bientôt toute observation impossible !

Du côté des indigènes, rien encore à craindre. Les Makololos semblaient décidés à réduire les assiégés par la famine. Et, en vérité, ils ne pouvaient manquer de réussir. Pendant cette journée du 4 mars, la faim tortura de nouveau les prisonniers du Scorzef, et ces malheureux Européens n'en purent diminuer les angoisses qu'en mâchant les racines bulbeuses de ces glaïeuls qui poussaient entre les roches sur les flancs de la montagne.

Prisonniers ! Non, cependant ! Le colonel Everest et ses compagnons ne l'étaient pas ! La chaloupe à vapeur, toujours mouillée dans la petite anse, pouvait à leur volonté les entraîner sur les eaux du Ngami vers une campagne fertile, où ne manqueraient ni le gibier, ni les fruits, ni les plantes légumineuses ! Plusieurs fois, on avait agité la question de savoir s'il ne conviendrait pas d'envoyer le bushman vers la rive septentrionale, afin d'y chasser pour le compte de la garnison. Mais, outre que cette manœuvre pouvait être aperçue des indigènes, c'était risquer la chaloupe, et par conséquent le salut de tous, au cas où d'autres tribus de Makololos battraient la partie nord du Ngami. Cette proposition avait donc été rejetée. Tous devaient fuir ou demeurer ensemble. Quant à abandonner le Scorzef avant d'avoir terminé l'opération géodésique, il n'en fut même pas question. On devait attendre, tant que toutes les chances de réussite n'auraient pas été épuisées. C'était une affaire de patience ! On serait patient !

« Lorsque Arago, Biot et Rodrigues, dit ce jour-là le colonel Everest à ses compagnons rassemblés autour de lui, se proposèrent de prolonger la méridienne de Dunkerque jusqu'à l'île d'Iviça, ces savants se trouvèrent à peu près dans la situation où nous sommes. Il s'agissait de rattacher l'île à la côte d'Espagne par un triangle dont les côtés dépasseraient cent vingt milles. L'astronome Rodrigues s'installa sur des pics de l'île, et y entretint des lampes allumées, tandis que les savants français vivaient sous la tente, à plus de cent milles de là, au milieu du désert de Las Palmas. Pendant soixante nuits, Arago et

Biot épièrent le fanal dont ils voulaient relever la direction ! Découragés, ils allaient renoncer à leur observation, quand, dans la soixante et unième nuit, un point lumineux que son immobilité seule ne permettait pas de confondre avec une étoile de sixième grandeur, apparut dans le champ de leur lunette. Soixante et une nuits d'attente ! Eh bien, messieurs, ce que deux astronomes français ont fait dans un grand intérêt scientifique, des astronomes anglais et russes ne peuvent-ils le faire ? »

La réponse de tous ces savants fut un hurrah affirmatif. Et cependant, ils auraient pu répondre au colonel Everest que ni Biot ni Arago n'éprouvèrent les tortures de la faim dans leur longue station au désert de Las Palmas !

Pendant la journée, les Makololos, campés au pied du Scorzef, s'agitèrent d'une façon insolite. C'étaient des allées et venues qui ne laissèrent pas d'inquiéter le bushman. Ces indigènes, la nuit venue, voulaient-ils tenter un nouvel assaut de la montagne, ou se préparaient-ils à lever leur camp ? Mokoum, après les avoir attentivement observés, crut reconnaître dans cette agitation des intentions hostiles. Les Makololos préparaient leurs armes. Toutefois, les femmes et les enfants qui les avaient rejoints abandonnèrent le campement, et, sous la conduite de quelques guides, regagnèrent la région de l'est en se rapprochant des rives du Ngami. Il était donc possible que les assiégeants voulussent essayer une dernière fois d'emporter la forteresse, avant de se retirer définitivement du côté de Makèto, leur capitale.

Le bushman communiqua aux Européens le résultat de ses observations. On résolut d'exercer une surveillance plus sévère pendant la nuit, et de tenir toutes les armes en état. Le chiffre des assiégeants pouvait être considérable. Rien ne les empêchait de s'élancer sur les flancs du Scorzef au nombre de plusieurs centaines. L'enceinte du fortin, ruinée en plusieurs places, aurait aisément livré passage à un groupe d'indigènes. Il parut donc prudent au colonel Everest de prendre quelques dispositions, pour le cas où les assiégés seraient forcés de battre en retraite, et d'abandonner momentanément leur station géodésique. La chaloupe à vapeur dut être prête à appareiller au premier signal. Un des matelots — le mécanicien du *Queen and Tzar* — reçut l'ordre d'allumer le fourneau et de le maintenir en pression, pour le cas où la fuite deviendrait nécessaire. Mais il devait attendre que le soleil fût couché, afin de ne point révéler aux indigènes l'existence d'une chaloupe à vapeur sur les eaux du lac.

Le repas du soir se composa de fourmis blanches et de racines de glaïeuls. Triste alimentation pour des gens qui allaient peut-être se battre ! Mais ils étaient résolus, ils étaient au-dessus de toute faiblesse, et ils attendirent sans crainte l'heure fatale.

Vers six heures du soir, au moment où la nuit se fit avec cette rapidité particulière aux régions intratropicales, le mécanicien descendit les rampes du Scorzef, et s'occupa de chauffer la chaudière de la chaloupe. Il va sans dire que le colonel Everest ne comptait fuir qu'à la dernière extrémité, et lorsqu'il ne serait plus possible de tenir dans le fortin. Il lui répugnait d'abandonner son observatoire, surtout pendant la nuit, car, à chaque moment, le fanal de William Emery et de Michel Zorn pouvait s'allumer au sommet du Volquiria.

Les autres marins furent disposés au pied des murailles de l'enceinte, avec ordre de défendre à tout prix l'entrée des brèches. Les armes étaient prêtes. La mitrailleuse, chargée et approvisionnée d'un grand nombre de cartouches, allongeait ses redoutables canons à travers l'embrasure.

On attendit pendant plusieurs heures. Le colonel Everest et l'astronome russe, postés dans l'étroit donjon, et se relayant tour à tour, examinaient incessamment le

sommet du pic encadré dans le champ de leur lunette. L'horizon demeurait assez sombre, tandis que les plus belles constellations du firmament austral resplendissaient au zénith. Aucun souffle ne troublait l'atmosphère. Ce profond silence de la nature était imposant.

Cependant, le bushman, placé sur une saillie de roc, écoutait les bruits qui s'élevaient de la plaine. Peu à peu, ces bruits devinrent plus distincts. Mokoum ne s'était pas trompé dans ses conjectures : les Makololos se préparaient à donner un assaut suprême au Scorzef.

Jusqu'à dix heures, les assiégeants ne bougèrent pas. Leurs feux avaient été éteints. Le camp et la plaine se confondaient dans la même obscurité. Soudain, le bushman entrevit des ombres qui se mouvaient sur les flancs de la montagne. Les assiégeants n'étaient pas alors à cent pieds du plateau que couronnait le fortin.

« Alerte ! alerte ! » cria Mokoum.

Aussitôt, la petite garnison se porta en dehors sur le front sud, et commença un feu nourri contre les assaillants. Les Makololos répondirent par leur cri de guerre, et, malgré l'incessante fusillade, ils continuèrent de monter. A la lueur des détonations, on apercevait une fourmilière de ces indigènes, qui se présentaient en tel nombre, que toute résistance semblait être impossible. Cependant, au milieu de cette masse, des balles, dont pas une ne se perdait, faisaient un carnage affreux. De ces Makololos, il en tombait par grappes, qui roulaient les uns sur les autres jusqu'au bas du mont. Dans l'intervalle si court des détonations, les assiégés pouvaient entendre leurs cris de bêtes fauves. Mais rien ne les arrêtait. Ils montaient toujours en rangs pressés, ne lançant aucune flèche — ils n'en prenaient pas le temps —, mais voulant arriver quand même au sommet du Scorzef.

Le colonel Everest faisait le coup de feu à la tête de tout son monde. Ses compagnons, armés comme lui, le secondaient courageusement, sans en excepter Palander, qui maniait sans doute un fusil pour la première fois. Sir John, tantôt sur un roc, tantôt sur un autre, ici agenouillé, là couché, faisait merveille, et son rifle, échauffé par la rapidité du tir, lui brûlait déjà les mains. Quant au bushman, dans cette lutte sanglante, il était redevenu le chasseur patient, audacieux, sûr de lui-même, que l'on connaît.

Cependant, l'admirable valeur des assiégés, la sûreté de leur tir, la précision de leurs armes, ne pouvaient rien contre le torrent qui montait jusqu'à eux. Un indigène mort, vingt le remplaçaient, et c'était trop pour ces dix-neuf Européens ! Après une demi-heure de combat, le colonel Everest comprit qu'il allait être débordé.

En effet, non seulement sur le flanc sud du Scorzef, mais aussi par ses pentes latérales, le flot des assiégeants gagnait toujours. Les cadavres des uns servaient de marche-pied aux autres. Quelques-uns se faisaient des boucliers avec les morts et montaient en se couvrant ainsi. Tout cela, vu à la lueur rapide et fauve des détonations, était effrayant, sinistre. On sentait bien qu'il n'y avait aucun quartier à attendre de tels ennemis. C'était un assaut de bêtes féroces, que l'assaut de ces pillards altérés de sang, pires que les plus sauvages animaux de la faune africaine ! Certes, ils valaient bien les tigres qui manquent à ce continent !

A dix heures et demie, les premiers indigènes parvenaient au plateau du Scorzef. Les assiégés ne pouvaient pas lutter corps à corps, dans des conditions où leurs armes n'auraient pu servir. Il était donc urgent de chercher un abri derrière l'enceinte. Très heureusement, la petite troupe était encore intacte, les Makololos n'ayant employé ni leurs arcs ni leurs assagaies.

« En retraite ! » cria le colonel d'une voix qui domina le tumulte de la bataille.

Et après une dernière décharge, les assiégés, suivant leur chef, se retirèrent derrière les murailles du fortin.

Des cris formidables accueillirent cette retraite. Et aussitôt, les indigènes se présentèrent devant la brèche centrale, afin de tenter l'escalade.

Mais soudain, un bruit formidable, quelque chose comme un immense déchirement qui s'opérerait dans une décharge électrique et en multiplierait les détonations, se fit entendre. C'était la mitrailleuse, manœuvrée par sir John, qui parlait. Ces vingt-cinq canons, disposés en éventail, couvraient de plomb un secteur de plus de cent pieds à la surface de ce plateau qu'encombraient les indigènes. Les balles, incessamment fournies par un mécanisme automatique, tombaient en grêle sur les assiégeants. De là un balayage général qui fit place nette en un instant. Aux détonations de cet engin formidable, répondirent d'abord des hurlements, rapidement étouffés, puis une nuée de flèches qui ne fit et ne pouvait faire aucun mal aux assiégés.

« Elle va bien, la mignonne ! dit froidement le bushman, qui s'approcha de sir John. Quand vous serez fatigué d'en jouer un air !... »

Mais la mitrailleuse se taisait alors. Les Makololos, cherchant un abri contre ce torrent de mitraille, avaient disparu. Ils s'étaient rangés sur les flancs du fortin, laissant le plateau couvert de leurs morts.

Pendant ce moment de répit, que faisaient le colonel Everest et Mathieu Strux ? Ils avaient regagné leur poste dans le donjon, et là, l'œil appuyé aux lunettes du cercle répétiteur, ils épiaient dans l'ombre le pic du Volquiria. Ni les cris ni les dangers ne pouvaient les émouvoir ! Le cœur calme, le regard limpide, admirables de sang-froid, ils se succédaient devant l'oculaire, ils regardaient, ils observaient avec autant de précision que s'ils se fussent trouvés sous la coupole d'un observatoire, et quand, après un court repos, les hurlements des Makololos leur eurent appris que le combat recommençait, ces deux savants, à tour de rôle, restèrent de garde près du précieux instrument.

En effet, la lutte venait de reprendre. La mitrailleuse ne pouvait plus suffire à atteindre les indigènes qui se présentaient en foule devant toutes les brèches, en poussant leurs cris de mort. Ce fut dans ces conditions et devant ces ouvertures défendues pied à pied, que le combat continua pendant une demi-heure encore. Les assiégés, protégés par leurs armes à feu, n'avaient reçu que des égratignures dues à quelques pointes d'assagaies. L'acharnement ne diminuait pas de part et d'autre, et la colère grandissait au milieu de ces engagements corps à corps.

Ce fut alors, vers onze heures et demie, au plus épais de la mêlée, au milieu des fracas de la fusillade, que Mathieu Strux apparut près du colonel Everest. Son œil était à la fois rayonnant et effaré. Une flèche venait de percer son chapeau et tremblotait encore au-dessus de sa tête.

« Le fanal ! le fanal ! s'écria-t-il.

— Hein ! répondit le colonel Everest, en achevant de charger son fusil.

— Oui ! le fanal !

— Vous l'avez vu ?

— Oui ! »

Cela dit, le colonel, déchargeant une dernière fois son rifle, poussa un hurrah de triomphe, et se précipita vers le donjon, suivi de son intrépide collègue.

Là, le colonel s'agenouilla devant la lunette, et, comprimant les battements de son cœur, il regarda. Ah ! comme en ce moment toute sa vie passa dans son regard ! Oui ! le fanal était là, étincelant entre les fils du réticule ! Oui ! la lumière brillait au sommet du Volquiria ! Oui ! le dernier triangle venait enfin de trouver son point d'appui !

Ç'eût été vraiment un spectacle merveilleux que de

voir opérer les deux savants pendant le tumulte du combat. Les indigènes, trop nombreux, avaient forcé l'enceinte. Sir John, le bushman leur disputaient le terrain pas à pas. Aux balles répondaient les flèches des Makololos, aux coups d'assagaies, les coups de hache. Et cependant, l'un après l'autre, le colonel Everest et Mathieu Strux, courbés sur leur appareil, observaient sans cesse ! Ils multipliaient les répétitions du cercle pour corriger les erreurs de lectures, et l'impassible Nicolas Palander notait sur son registre les résultats de leurs observations ! Plus d'une fois, une flèche leur rasa la tête, et se brisa sur le mur intérieur du donjon. Ils visaient toujours le fanal du Volquiria, puis ils contrôlaient à la loupe les indications du vernier, et l'un vérifiait sans cesse le résultat obtenu par l'autre !

« Encore une observation », disait Mathieu Strux, en faisant glisser les lunettes sur le limbe gradué.

Enfin, une énorme pierre lancée par la main d'un indigène fit voler le registre des mains de Palander, et, renversant le cercle répétiteur, le brisa.

Mais les observations étaient terminées ! La direction du fanal était calculée avec une approximation d'un millième de seconde !

Maintenant, il fallait fuir, sauver le résultat de ces glorieux et magnifiques travaux. Les indigènes pénétraient déjà dans la casemate et pouvaient d'un instant à l'autre apparaître dans le donjon. Le colonel Everest et ses deux collègues, reprenant leurs armes, Palander, ramassant son précieux registre, s'enfuirent par une des brèches. Leurs compagnons étaient là, quelques-uns légèrement blessés, et prêts à couvrir la retraite.

Mais au moment de descendre les pentes septentrionales du Scorzef :

« Notre signal ! » s'écria Mathieu Strux.

En effet, il fallait répondre au fanal des deux jeunes astronomes par un signal lumineux. Il fallait, pour l'achèvement de l'opération géodésique, que William Emery et Michel Zorn visassent à leur tour le sommet du Scorzef et, sans doute, du pic qu'ils occupaient, ils attendaient impatiemment que ce feu leur apparût.

« Encore un effort ! » s'écria le colonel Everest.

Et pendant que ses compagnons repoussaient avec une surhumaine énergie les rangs des Makololos, il rentra dans le donjon.

Ce donjon était fait d'une charpente compliquée de bois sec. Une étincelle pouvait y mettre le feu. Le colonel l'enflamma au moyen d'une amorce. Le bois pétilla aussitôt, et le colonel, se précipitant au-dehors, rejoignit ses compagnons.

Quelques minutes après, sous une pluie de flèches et de corps précipités du haut du Scorzef, les Européens descendaient les rampes, faisant glisser devant eux la mitrailleuse qu'ils ne voulaient point abandonner. Après avoir repoussé encore une fois les indigènes sous leur meurtrière fusillade, ils atteignirent la chaloupe.

Le mécanicien, suivant les ordres de son chef, l'avait tenue en pression. L'amarre fut larguée, l'hélice se mit en mouvement, et la *Queen and Tzar* s'avança rapidement sur les eaux sombres du lac.

Bientôt la chaloupe fut assez éloignée pour que les passagers pussent apercevoir le sommet du Scorzef. Le donjon, tout en feu, brillait comme un phare et devait facilement transmettre sa lueur éclatante jusqu'au pic du Volquiria.

Un immense hurrah des Anglais et des Russes salua ce gigantesque flambeau dont l'éclat rompait sur un vaste périmètre l'obscurité de la nuit.

Ni William Emery ni Michel Zorn ne pourraient se plaindre !

Ils avaient montré une étoile, on leur répondait par un soleil !

XXII
Où Nicolas Palander
s'emporte

Lorsque le jour parut, la chaloupe accostait la rive septentrionale du lac. Là, nulle trace d'indigènes. Le colonel Everest et ses compagnons, qui s'étaient préparés à faire le coup de fusil, désarmèrent leurs rifles, et la *Queen and Tzar* vint se ranger dans une petite anse creusée entre deux pans de rocs.

Le bushman, sir John Murray et l'un des marins allèrent battre les environs. La contrée était déserte. Pas une trace de Makololos. Mais, très heureusement pour la troupe affamée, le gibier ne manquait pas. Entre les grandes herbes des pâturages et sous le couvert des taillis paissaient des troupeaux d'antilopes. Les rives du Ngami étaient, en outre, fréquentées par un grand nombre d'oiseaux aquatiques de la famille des canards. Les chasseurs revinrent avec une ample provision. Le colonel Everest et ses compagnons purent donc se refaire avec cette venaison savoureuse qui ne devait plus leur faire défaut.

Dès cette matinée du 5 mars, le campement fut organisé sur la rive du Ngami, au bord d'une petite rivière, sous l'abri de grands saules. Le lieu de rendez-vous convenu avec le foreloper était précisément cette rive septentrionale du lac, échancrée en cet endroit par une petite baie. Là, le colonel Everest et Mathieu Strux

devaient attendre leurs collègues, et il était probable que ceux-ci effectueraient le retour dans des conditions meilleures, et, en conséquence, plus rapidement. C'étaient donc quelques jours de repos forcé dont personne ne songea à se plaindre, après tant de fatigues. Nicolas Palander en profita pour calculer les résultats des dernières opérations trigonométriques. Mokoum et sir John se délassèrent en chassant comme des enragés dans cette contrée giboyeuse, fertile, bien arrosée, que l'honorable Anglais eût volontiers achetée pour le compte du gouvernement britannique.

Trois jours après, le 8 mars, des détonations signalèrent l'arrivée de la troupe du foreloper. William Emery, Michel Zorn, les deux marins et le boschjesman revenaient en parfaite santé. Ils rapportaient intact leur théodolite, le seul instrument qui restât maintenant à la disposition de la commission anglo-russe.

Comme ces jeunes savants et leurs compagnons furent reçus, cela ne peut se dire. On ne leur épargna pas les félicitations. En quelques mots, ils racontèrent leur voyage. L'aller avait été difficile. Dans les longues forêts qui précédaient la région montagneuse, ils s'étaient égarés pendant deux jours. N'ayant aucun point de repère, marchant sur l'indication assez vague du compas, ils n'eussent jamais atteint le mont Volquiria sans la sagacité de leur guide. Le foreloper s'était montré, partout et toujours, intelligent et dévoué. L'ascension du pic avait été rude. De là des retards dont les jeunes gens souffrirent non moins impatiemment que leurs collègues du Scorzef. Enfin, ils avaient pu atteindre le sommet du Volquiria. — Le fanal électrique fut installé dans la journée du 4 mars, et pendant la nuit du 4 au 5, sa lumière, accrue par un puissant réflecteur, brilla pour la première fois à la pointe du pic. Ainsi donc, les observateurs du Scorzef l'aperçurent presque aussitôt qu'elle eût paru.

De leur côté, Michel Zorn et William Emery avaient facilement aperçu le feu intense qui brilla au sommet du Scorzef, lors de l'incendie du fortin. Ils en avaient relevé la direction au moyen du théodolite, et achevé ainsi la mesure du triangle dont le sommet s'appuyait au pic du Volquiria.

« Et la latitude de ce pic ? demanda le colonel Everest à William Emery, l'avez-vous déterminée ?

— Exactement, colonel, et par de bonnes observations d'étoiles, répondit le jeune astronome.

— Ce pic se trouve situé ?...

— Par 19º37'35", 337, avec une approximation de trois cent trente-sept millièmes de seconde, répondit William Emery.

— Eh bien, messieurs, reprit le colonel, notre tâche est pour ainsi dire terminée. Nous avons mesuré un arc du méridien de plus de huit degrés au moyen de soixante-trois triangles, et, quand les résultats de nos opérations auront été calculés, nous connaîtrons exactement quelle est la valeur du degré, et par conséquent celle du mètre dans cette partie du sphéroïde terrestre.

— Hurrah ! hurrah ! s'écrièrent les Anglais et les Russes, unis dans un même sentiment.

— Maintenant, ajouta le colonel Everest, il ne nous reste plus qu'à gagner l'océan Indien en descendant le cours du Zambèse. N'est-ce pas votre avis, monsieur Strux ?

— Oui, colonel, répondit l'astronome de Poulkowa, mais je pense que nos opérations doivent avoir un contrôle mathématique. Je propose donc de continuer dans l'est le réseau trigonométrique jusqu'au moment où nous aurons trouvé un emplacement propice à la mesure directe d'une nouvelle base. La concordance qui existera entre la longueur de cette base, obtenue par le calcul et par la mesure directe sur le sol, nous indiquera seule le degré de certitude qu'il convient d'attribuer à nos opérations géodésiques ! »

La proposition de Mathieu Strux fut adoptée sans conteste. Ce contrôle de toute la sére des travaux trigonométriques depuis la première base était indispensable. Il fut donc convenu que l'on construirait vers l'est une suite de triangles auxiliaires jusqu'au moment où l'un des côtés de ces triangles pourrait être mesuré directement au moyen des règles de platine. La chaloupe à vapeur, descendant les affluents du Zambèse, devait aller attendre les astronomes au-dessous des célèbres chutes de Victoria.

Tout étant ainsi réglé, la petite troupe, dirigée par le bushman, moins quatre marins qui s'embarquèrent à bord de la *Queen and Tzar*, partit au soleil levant, le 6 mars. Des stations avaient été choisies dans la direction de l'ouest, des angles mesurés, et sur ce pays propice à l'établissement des mires, on pouvait espérer que le réseau auxiliaire s'obtiendrait aisément. Le bushman s'était emparé très adroitement d'un quagga, sorte de cheval sauvage, à crinière brune et blanche, au dos rougeâtre et zébré, et, bon gré mal gré, il en fit une bête de somme destinée à porter les quelques bagages de la caravane, le théodolite, les règles et les tréteaux destinés à mesurer la base, qui avaient été sauvés avec la chaloupe.

Le voyage s'accomplit assez rapidement. Les travaux retardèrent peu les observateurs. Les triangles accessoires, d'une étendue médiocre, trouvaient facilement des points d'appui sur ce pays accidenté. Le temps était favorable, et il fut inutile de recourir aux observations nocturnes. Les voyageurs pouvaient presque incessamment s'abriter sous les longs bois qui hérissaient le sol. D'ailleurs la température se maintenait à un degré supportable, et sous l'influence de l'humidité, que les ruisseaux et les étangs entretenaient dans l'atmosphère, quelques vapeurs s'élevaient dans l'air et tamisaient les rayons du soleil.

De plus, la chasse fournissait à tous les besoins de la petite caravane. D'indigènes, il n'était pas question. Il était probable que les bandes pillardes erraient plus au sud du Ngami.

Quant aux rapports de Mathieu Strux et du colonel Everest, ils n'entraînaient plus aucune discussion. Il semblait que les rivalités personnelles fussent oubliées. Certes, il n'existait pas une réelle intimité entre ces deux savants, mais il ne fallait pas leur demander davantage.

Pendant vingt et un jours, du 6 au 27 mars, aucun incident digne d'être relaté ne se produisit. On cherchait avant tout une place convenable pour l'établissement de la base, mais le pays ne s'y prêtait pas. Pour cette opération, une assez vaste étendue de terrain plane et horizontale sur une surface de plusieurs milles était nécessaire, et précisément les mouvements du sol, les extumescences si favorables à l'établissement des mires, s'opposaient à la mesure directe de la base. On allait donc toujours dans le nord-est, en suivant quelquefois la rive droite du Chobé, l'un des principaux tributaires du haut Zambèse, de manière à éviter Makéto, la principale bourgade des Makololos.

Sans doute, on pouvait espérer que le retour s'accomplirait ainsi dans des conditions favorables, que la nature ne jetterait plus devant les pas des astronomes ni obstacles ni difficultés matérielles, que la période des épreuves ne recommencerait pas. Le colonel Everest et ses compagnons parcouraient, en effet, une contrée relativement connue, et ils ne devaient pas tarder à rencontrer les bourgades et villages du Zambèse, que le docteur Livingstone avait visités naguère. Ils pensaient donc, non sans raison, que la partie la plus difficile de leur tâche était accomplie. Peut-être ne se trompaient-ils pas, et cependant, un incident, dont les conséquences pouvaient être de la plus haute gravité, faillit compromettre irréparablement les résultats de toute l'expédition.

Ce fut Nicolas Palander qui fut le héros, ou plutôt qui pensa être la victime de cette aventure.

On sait que l'intrépide, mais inconscient calculateur, absorbé par ses chiffres, se laissait entraîner parfois loin de ses compagnons. Dans un pays de plaine, cette habitude ne présentait pas grand danger. On se remettait rapidement sur la piste de l'absent. Mais dans une contrée boisée, les distractions de Palander pouvaient avoir des conséquences très graves. Aussi, Mathieu Strux et le bushman lui firent-ils mille recommandations à cet égard. Nicolas Palander promettait de s'y conformer, tout en s'étonnant beaucoup de cet excès de prudence. Le digne homme ne s'apercevait même pas de ses distractions !

Or, précisément pendant cette journée du 27 mars, Mathieu Strux et le bushman passèrent plusieurs heures sans avoir aperçu Nicolas Palander. La petite troupe traversait de grands taillis, très fournis d'arbres, bas et touffus, qui limitaient extrêmement l'horizon. C'était donc le cas ou jamais de rester en groupe compact, car il eût été difficile de retrouver les traces d'une personne égarée dans ces bois. Mais Nicolas Palander, ne voyant et ne prévoyant rien, s'était porté, le crayon d'une main, le registre de l'autre, sur le flanc gauche de la troupe, et il n'avait pas tardé à disparaître.

Que l'on juge de l'inquiétude de Mathieu Strux et de ses compagnons, quand, vers quatre heures du soir, ils ne retrouvèrent plus Nicolas Palander avec eux. Le souvenir de l'affaire des crocodiles était encore présent à leur esprit, et, entre tous, le distrait calculateur était probablement le seul qui l'eût oublié !

Donc, grande anxiété parmi la petite troupe, et empêchement de continuer la marche en avant, tant que Nicolas Palander ne l'aurait pas rejointe.

On appela. Vainement. Le bushman et les marins se dispersèrent sur le rayon d'un quart de mille, battant les buissons, fouillant le bois, furetant dans les hautes herbes, tirant des coups de fusil ! Rien. Nicolas Palander ne reparaissait pas.

L'inquiétude de tous fut alors extrêmement vive, mais il faut dire que chez Mathieu Strux, à cette inquiétude se joignit une irritation extrême contre son malencontreux collègue. C'était la seconde fois que pareil incident se reproduisait par la faute de Nicolas Palander, et véritablement, si le colonel Everest l'eût pris à partie, lui, Mathieu Strux, n'aurait certainement pas su que répondre.

Il n'y avait donc plus, dans ces circonstances, qu'une résolution à prendre, celle de camper dans le bois et d'opérer les recherches les plus minutieuses, afin de retrouver le calculateur.

Le colonel et ses compagnons se disposaient à faire halte près d'une assez vaste clairière, quand un cri — un cri qui n'avait plus rien d'humain — retentit à quelques centaines de pas sur la gauche du bois. Presque aussitôt, Nicolas Palander apparut. Il courait de toute la vitesse de ses jambes. Il était tête nue, cheveux hérissés, à demi dépouillé de ses vêtements, dont quelques lambeaux lui couvraient les reins.

Le malheureux arriva auprès de ses compagnons, qui le pressèrent de questions. Mais, l'œil démesurément ouvert, la pupille dilatée, les narines aplaties et fermant tout passage à sa respiration qui était saccadée et incomplète, le pauvre homme ne pouvait parler. Il voulait répondre, les mots ne sortaient pas.

Que s'était-il passé ? Pourquoi cet égarement, pourquoi cette épouvante dont Nicolas Palander présentait à un si haut degré les plus incontestables symptômes ? On ne savait qu'imaginer.

Enfin, ces paroles presque inintelligibles s'échappèrent du gosier de Palander :

« Les registres ! les registres ! »

Les astronomes, à ces mots, frissonnèrent tous d'un même frisson. Ils avaient compris ! Les registres, ces deux registres sur lesquels était inscrit le résultat de toutes les opérations trigonométriques, ces registres dont le calculateur ne se séparait jamais, même en dormant, ces registres manquaient ! Ces registres, Nicolas Palander ne les rapportait pas ! Les avait-il égarés ? Les lui avait-on volés ? Peu importait ! Ces registres étaient perdus ! Tout était à refaire, tout à recommencer !

Tandis que ses compagnons, terrifiés — c'est le mot —, se regardaient silencieusement, Mathieu Strux laissait déborder sa colère ! Il ne pouvait se contenir ! Comme il traita le malheureux ! De quelles qualifications il le chargea ! Il ne craignit pas de le menacer de toute la colère du gouvernement russe, ajoutant que, s'il ne périssait pas sous le knout, il irait pourrir en Sibérie !

A toutes ces choses, Nicolas Palander ne répondait que par un hochement de tête de bas en haut. Il semblait acquiescer à toutes ces condamnations, il semblait dire qu'il les méritait, qu'elles étaient trop douces pour lui !

« Mais on les a donc volés ! dit enfin le colonel Everest.

— Qu'importe ! s'écria Mathieu Strux hors de lui. Pourquoi ce misérable s'est-il éloigné ? Pourquoi n'est-il pas resté près de nous, après toutes les recommandations que nous lui avions faites ?

— Oui, répondit sir John, mais enfin il faut savoir s'il a perdu les registres ou si on les lui a volés. Vous a-t-on volé, monsieur Palander ? demanda sir John, en se retournant vers le pauvre homme, qui s'était laissé choir de fatigue. Vous a-t-on volé ? »

Nicolas Palander fit un signe affirmatif.

« Et qui vous a volé ? reprit sir John. Serait-ce des indigènes, des Makololos ? »

Nicolas Palander fit un signe négatif.

« Des Européens, des Blancs ? ajouta sir John.

— Non, répondit Nicolas Palander d'une voix étranglée.

— Mais qui donc alors ? s'écria Mathieu Strux, en étendant ses mains crispées vers le visage du malheureux.

— Non ! fit Nicolas Palander, ni indigènes... ni Blancs... des babouins ! »

Vraiment, si les conséquences de cet incident n'eussent été si graves, le colonel et ses compagnons auraient éclaté de rire à cet aveu ! Nicolas Palander avait été volé par des singes !

Le bushman exposa à ses compagnons que ce fait se reproduisait souvent. Maintes fois, à sa connaissance, des voyageurs avaient été dévalisés par des « chacmas », cynocéphales à tête de porc, qui appartiennent à l'espèce des babouins, et dont on rencontre des bandes nombreuses dans les forêts de l'Afrique. Le calculateur avait été détroussé par ces pillards, non sans avoir lutté, ainsi que l'attestaient ses vêtements en lambeaux. Mais cela ne l'excusait en aucune façon. Cela ne serait pas arrivé, s'il fût resté à sa place, et les registres de la commission scientifique n'en étaient pas moins perdus — perte irréparable, et qui rendait nuls tant de périls, tant de souffrances et tant de sacrifices !

« Le fait est, dit le colonel Everest, que ce n'était pas la peine de mesurer un arc du méridien dans l'intérieur de l'Afrique, pour qu'un maladroit... »

Il n'acheva pas. A quoi bon accabler le malheureux déjà si accablé par lui-même, et auquel l'irascible Strux ne cessait de prodiguer les plus malsonnantes épithètes !

Cependant, il fallait aviser, et ce fut le bushman qui avisa. Seul, lui que cette perte touchait moins directement, il garda son sang-froid dans cette occurrence. Il faut bien l'avouer, les Européens, sans exception, étaient anéantis.

« Messieurs, dit le bushman, je comprends votre désespoir, mais les moments sont précieux, et il ne faut pas les perdre. On a volé les registres de M. Palander. Il a été détroussé par des babouins ; eh bien ! mettons-nous sans retard à la poursuite des voleurs. Ces chacmas sont soigneux des objets qu'ils dérobent ! Or, des registres ne se mangent pas, et si nous trouvons le voleur, nous retrouverons les registres avec lui ! »

L'avis était bon. C'était une lueur d'espoir que le bushman avait allumée. Il ne fallait pas la laisser s'éteindre. Nicolas Palander, à cette proposition, se ranima. Un autre homme se révéla en lui. Il drapa les lambeaux de vêtements qui le recouvraient, accepta la veste d'un matelot, le chapeau d'un autre, et se déclara prêt à guider ses compagnons vers le théâtre du crime !

Ce soir-là même, la route fut modifiée suivant la direction indiquée par le calculateur, et la troupe du colonel Everest se porta plus directement vers l'ouest.

Ni cette nuit ni la journée qui suivit n'amenèrent de résultat favorable. En maint endroit, à certaines empreintes laissées sur le sol ou sur l'écorce des arbres, le bushman et le foreloper reconnurent un passage récent de cynocéphales. Nicolas Palander affirmait avoir eu affaire à une dizaine de ces animaux. On fut bientôt assuré d'être sur leur piste, on marcha donc avec une extrême précaution, en se couvrant toujours, car ces babouins sont des êtres sagaces, intelligents, et qui ne se laissent point approcher aisément. Le bushman ne comptait réussir dans ses recherches qu'à la condition de surprendre les chacmas.

Le lendemain, vers huit heures du matin, un des matelots russes qui s'était porté en avant, aperçut, sinon le voleur, du moins l'un des camarades du voleur de Nicolas Palander. Il revint prudemment vers la petite troupe.

Le bushman fit faire halte. Les Européens, décidés à lui obéir en tout, attendirent ses instructions. Le bushman les pria de rester en cet endroit, et, emmenant sir John et le foreloper, il se porta vers la partie du bois visitée par le matelot, ayant soin de toujours se tenir à l'abri des arbres et des broussailles.

Bientôt on aperçut le babouin signalé, et presque en même temps, une dizaine d'autres singes qui gambadaient entre les arbres. Le bushman et ses deux compagnons, blottis derrière un tronc, les observèrent avec une extrême attention.

C'était, effectivement, ainsi que l'avait dit Mokoum, une bande de chacmas, le corps revêtu de poils verdâtres, les oreilles et la face noires, la queue longue et toujours en mouvement qui balayait le sol ; animaux robustes, que leurs muscles puissants, leurs mâchoires bien armées, leurs griffes aiguës rendent redoutables, même à des fauves. Ces chacmas, les véritables maraudeurs du genre, grands pilleurs des champs de blé et de maïs, sont la terreur des Boers, dont ils ravagent trop souvent les habitations. Ceux-ci, tout en jouant, aboyaient et jappaient, comme de grands chiens mal bâtis, auxquels ils ressemblaient par leur conformation. Aucun d'eux n'avait aperçu les chasseurs qui les épiaient.

Mais le voleur de Nicolas Palander se trouvait-il dans la bande ? C'était le point important à déterminer. Or, le doute ne fut plus permis, quand le foreloper désigna à ses compagnons l'un de ces chacmas, dont le corps était encore entouré d'un lambeau d'étoffe, arraché au vêtement de Nicolas Palander.

Ah ! quel espoir revint au cœur de sir John Murray ! Il ne doutait pas que ce grand singe ne fût porteur des registres volés ! Il fallait donc s'en emparer à tout prix, et pour cela, agir avec la plus grande circonspection. Un faux mouvement, et toute la bande décampait à travers le bois, sans qu'il fût possible de la rejoindre.

« Restez ici, dit Mokoum au foreloper. Son Honneur et moi, nous allons retrouver nos compagnons et prendre des mesures pour cerner la troupe. Mais surtout, ne perdez pas de vue ces maraudeurs ! »

Le foreloper demeura au poste assigné, et le bushman et sir John retournèrent auprès du colonel Everest.

Cerner la bande de cynocéphales, c'était, en effet, le seul moyen de saisir le coupable. Les Européens se divisèrent en deux détachements. L'un, composé de Mathieu Strux, de William Emery, de Michel Zorn et de trois matelots, dut rejoindre le foreloper et s'étendre en demicercle autour de lui. L'autre détachement, qui comprenait Mokoum, sir John, le colonel, Nicolas Palander et les trois autres marins, prit sur la gauche, de manière à tourner la position et à se rabattre sur la bande de singes.

Suivant la recommandation du bushman, on ne s'avança qu'avec une précaution extrême. Les armes étaient prêtes, et il était convenu que le chacma aux lambeaux d'étoffe serait le but de tous les coups.

Nicolas Palander, dont on avait peine à calmer l'ardeur, marchait près de Mokoum. Celui-ci le surveillait dans la crainte que sa fureur ne lui fît faire quelque sottise. Et, en vérité, le digne astronome ne se possédait plus. C'était pour lui une question de vie ou de mort.

Après une demi-heure d'une marche semi-circulaire, et pendant laquelle les haltes avaient été fréquentes, le bushman jugea le moment venu de se rabattre. Ses compagnons, placés à la distance de vingt pas l'un de l'autre, s'avancèrent silencieusement. Pas un mot prononcé, pas un geste hasardé, pas un craquement de branches. On eût dit une troupe de Pawnies rampant sur une piste de guerre.

Soudain, le chasseur s'arrêta. Ses compagnons s'arrêtèrent aussitôt, le doigt sur la gâchette du fusil, le fusil prêt à être épaulé.

La bande des chacmas était en vue. Ces animaux avaient senti quelque chose. Ils se tenaient aux aguets. Un babouin d'une haute stature — précisément le voleur de registres — donnait des signes non équivoques d'inquiétude. Nicolas Palander avait reconnu son détrousseur de grand chemin. Seulement, ce singe ne paraissait pas avoir gardé les registres sur lui, ou du moins on ne les voyait pas.

« A-t-il l'air d'un gueux ! » murmurait le savant.

Ce grand singe, tout anxieux, semblait faire des signaux à ses camarades. Quelques femelles, leurs petits accrochés sur l'épaule, s'étaient réunies en groupe. Les mâles allaient et venaient autour d'elles.

Les chasseurs s'approchèrent encore. Chacun avait reconnu le voleur et pouvait déjà le viser à coup sûr. Mais voici que, par un mouvement involontaire, le fusil partit entre les mains de Nicolas Palander.

« Malédiction ! » s'écria sir John, en déchargeant son rifle.

Quel effet ! Dix détonations répondirent. Trois singes tombèrent morts sur le sol. Les autres, faisant un bond prodigieux, passèrent comme des masses ailées au-dessus de la tête du bushman et de ses compagnons.

Seul, un chacma était resté : c'était le voleur. Au lieu de s'enfuir, il s'élança sur le tronc d'un sycomore, y grimpa avec l'agilité d'un acrobate, et disparut dans les branches.

« C'est là qu'il a caché les registres ! » s'écria le bushman, et Mokoum ne se trompait pas.

Cependant, il était à craindre que le chacma ne se sauvât en passant d'un arbre à l'autre. Mais Mokoum, le visant avec calme, fit feu. Le singe, blessé à la jambe, dégringola de branche en branche. Une de ses mains tenait les registres, qu'il avait repris dans une enfour-

chure de l'arbre. A cette vue, Nicolas Palander, bondissant comme un chamois, se précipita sur le chacma, et une lutte s'engagea.

Quelle lutte ! La colère surexcitait le calculateur ! Aux aboiements du singe s'unissaient les hurlements de Palander. Quels cris discordants dans cette mêlée ! On ne savait plus lequel des deux était le singe ou le mathématicien ! On ne pouvait viser le chacma, dans la crainte de blesser l'astronome.

« Tirez ! tirez sur les deux ! » criait Mathieu Strux, hors de lui, et ce Russe exaspéré l'aurait peut-être fait, si son fusil n'eût été déchargé.

Le combat continuait. Nicolas Palander, tantôt dessus, tantôt dessous, essayait d'étrangler son adversaire. Il avait les épaules en sang, car le chacma le lacérait à coups de griffes. Enfin, le bushman, la hache à la main, saisissant un moment favorable, frappa le singe à la tête et le tua sur le coup.

Nicolas Palander, évanoui, fut relevé par ses compagnons. Sa main pressait sur sa poitrine les deux registres qu'il venait de reconquérir. Le corps du singe fut emporté au campement, et, au repas du soir, les convives, y compris leur collègue volé, mangèrent le voleur autant par goût que par vengeance, car la chair en était excellente.

XXIII
Les chutes du Zambèse

Les blessures de Nicolas Palander n'étaient pas graves. Le bushman, qui s'y entendait, frotta les épaules du digne homme avec quelques herbes, et l'astronome d'Helsingfors put se remettre en route. Son triomphe le soutenait. Mais cette exaltation tomba vite, et il redevint promptement le savant absorbé, qui ne vivait que dans le monde des chiffres. Un des registres lui avait été laissé, mais, par mesure de prudence, il dut remettre à William Emery l'autre registre qui contenait le double de tous les calculs — ce qu'il fit, d'ailleurs, de bonne grâce.

Les travaux furent continués. La triangulation se faisait vite et bien. Il ne s'agissait plus que de trouver une plaine favorablement disposée pour l'établissement d'une base.

Le 1er avril, les Européens durent traverser de vastes marécages qui retardèrent un peu leur marche. A ces plaines humides succédèrent des étangs nombreux, dont les eaux répandaient une odeur pestilentielle. Le colonel Everest et ses compagnons se hâtèrent, en donnant à leurs triangles un plus grand développement, de quitter cette région malsaine.

Les dispositions de la petite troupe étaient excellentes, et le meilleur esprit y régnait. Michel Zorn et William

Emery se félicitaient de voir l'entente la plus complète régner entre leurs deux chefs. Ceux-ci semblaient avoir oublié qu'une dissension internationale avait dû les séparer.

« Mon cher William, dit un jour Michel Zorn à son jeune ami, j'espère qu'à notre retour en Europe, nous trouverons la paix conclue entre l'Angleterre et la Russie, et que, par conséquent, nous aurons le droit de rester là-bas les amis que nous sommes ici, en Afrique.

— Je l'espère comme vous, mon cher Michel, répondit William Emery. Les guerres modernes ne peuvent durer longtemps. Une bataille ou deux, et les traités se signent. Cette malencontreuse guerre est commencée depuis un an déjà, et je pense, comme vous, que la paix sera conclue à notre retour en Europe.

— Mais votre intention, William, n'est pas de retourner au Cap ? demanda Michel Zorn. L'observatoire ne vous réclame pas impérieusement, et j'espère bien vous faire chez moi les honneurs de mon observatoire de Kiew !

— Oui, mon ami, répondit William Emery, oui, je vous accompagnerai en Europe, et je ne retournerai pas en Afrique sans avoir un peu passé par la Russie. Mais un jour, vous me rendrez visite à Cape Town, n'est-il pas vrai ? Vous viendrez vous égarer au milieu de nos belles constellations australes. Vous verrez quel riche firmament, et quelle joie c'est d'y puiser, non pas à pleines mains, mais à pleins regards ! Tenez, si vous le voulez, nous dédoublerons ensemble l'étoile θ du Centaure ! Je vous promets de ne point commencer sans vous.

— C'est dit, William ?

— C'est dit, Michel. Je vous garde θ, et, en revanche, ajouta William Emery, j'irai réduire à Kiew une de vos nébuleuses ! »

Braves jeunes gens ! Ne semblait-il pas que le ciel leur appartînt ! Et, au fait, à qui appartiendrait-il, sinon à ces

perspicaces savants qui l'ont jaugé jusque dans ses profondeurs !

« Mais avant tout, reprit Michel Zorn, il faut que cette
guerre soit terminée.

— Elle le sera, Michel. Des batailles à coups de canon,
cela dure moins longtemps que des disputes à coups
d'étoiles ! La Russie et l'Angleterre seront réconciliées
avant le colonel Everest et Mathieu Strux.

— Vous ne croyez donc pas à leur sincère réconcilia-
tion, demanda Michel Zorn, après tant d'épreuves qu'ils
ont subies ensemble ?

— Je ne m'y fierais pas, répondit William Emery. Son-
gez-y donc, des rivalités de savants, et de savants illustres !

— Soyons moins illustres, alors, mon cher William,
répondit Michel Zorn, et aimons-nous toujours ! »

Onze jours s'étaient passés depuis l'aventure des
cynocéphales, quand la petite troupe, arrivée non loin
des chutes du Zambèse, rencontra une plaine qui s'étendait sur une largeur de plusieurs milles. Le terrain convenait parfaitement à la mesure directe d'une base. Sur
la lisière s'élevait un village comprenant seulement
quelques huttes. Sa population — quelques dizaines d'indigènes au plus —, composée d'habitants inoffensifs, fit
bon accueil aux Européens. Ce fut heureux pour la
troupe du colonel Everest, car sans chariots, sans tentes,
presque sans matériel de campement, il lui eût été difficile de s'intaller d'une manière suffisante. Or, la mesure
de la base pouvait durer un mois, et ce mois, on ne pouvait le passer en plein air, avec le feuillage des arbres
pour tout abri.

La commission scientifique s'installa donc dans les
huttes, qui furent préalablement appropriées à l'usage
des nouveaux occupants. Les savants étaient hommes à
se contenter de peu, d'ailleurs. Une seule chose les préoccupait : la vérification de leurs opérations antérieures,

qui allaient être contrôlées par la mesure directe de cette nouvelle base, c'est-à-dire du dernier côté de leur dernier triangle. En effet, d'après le calcul, ce côté avait une longueur mathématiquement déterminée, et plus la mesure directe se rapprocherait de la mesure calculée, plus la détermination de la méridienne devrait être regardée comme parfaite.

Les astronomes procédèrent immédiatement à la mesure directe. Les chevalets et les règles de platine furent dressés successivement sur ce sol bien uni. On prit toutes les précautions minutieuses qui avaient accompagné la mesure de la première base. On tint compte de toutes les conditions atmosphériques, des variations du thermomètre, de l'horizontalité des appareils, etc. Bref, rien ne fut négligé dans cette opération suprême, et ces savants ne vécurent plus que dans cette unique préoccupation.

Ce travail, commencé le 10 avril, ne fut achevé que le 15 mai. Cinq semaines avaient été nécessaires à cette délicate opération. Nicolas Palander et William Emery en calculèrent immédiatement les résultats.

Vraiment, le cœur battait fort à ces astronomes, quand ce résultat fut proclamé. Quel dédommagement de leurs fatigues, de leurs épreuves, si la vérification complète de leurs travaux « pouvait permettre de les léguer inattaquables à la postérité » !

Lorsque les longueurs obtenues eurent été réduites par les calculateurs en arcs rapportés au niveau moyen de la mer, et à la température de soixante et un degrés du thermomètre de Farenheit (16°11' centigrades), Nicolas Palander et William Emery présentèrent à leurs collègues les nombres suivants :

Base nouvelle mesurée . . . . 5075^t,25
Avec la même base déduite de la première
base et du réseau trigonométrique tout entier. . . 5075,11
Différence entre le calcul et l'observation. . . . 0^t,14

Seulement quatorze centièmes de toise, c'est-à-dire moins de dix pouces, et les deux bases se trouvaient situées à une distance de six cents milles l'une de l'autre !

Lorsque la mesure de la méridienne de France fut établie entre Dunkerque et Perpignan, la différence entre la base de Melun et la base de Perpignan avait été de 11 pouces. La concordance obtenue par la commission anglo-russe est donc plus remarquable encore, et fait de ce travail, accompli dans des circonstances difficiles, en plein désert africain, au milieu des épreuves et des dangers de toutes sortes, la plus parfaite des opérations géodésiques entreprises jusqu'à ce jour.

Un triple hurrah salua ce résultat admirable, sans précédent dans les annales scientifiques !

Et maintenant, quelle était la valeur d'un degré du méridien dans cette portion du sphéroïde terrestre ? Précisément, d'après les réductions de Nicolas Palander, cinquante-sept mille trente-sept toises. C'était, à une toise près, le chiffre trouvé en 1752, par Lacaille, au cap de Bonne-Espérance. A un siècle de distance, l'astronome français et les membres de la commission anglo-russe s'étaient rencontrés avec cette approximation.

Quant à la valeur du mètre, il fallait, pour la déduire, attendre le résultat des opérations qui devaient être ultérieurement entreprises dans l'hémisphère boréal. Cette valeur devait être la dix millionième partie du quart du méridien terrestre. D'après les calculs antérieurs, ce quart comprenait, en tenant compte de l'aplatissement de la terre évalué à $\frac{1}{499\,15^9}$ dix millions huit cent cinquante-six mètres, ce qui portait la longueur exacte du mètre à $0^t,513074$, ou trois pieds onze lignes et deux cent quatre-vingt-seize millièmes de ligne. Ce chiffre était-il le véritable ? C'est ce que devaient dire les travaux subséquents de la commission anglo-russe.

Les opérations géodésiques étaient donc entièrement terminées. Les astronomes avaient achevé leur tâche. Il ne leur restait plus qu'à gagner les bouches du Zambèse, en suivant, en sens inverse, l'itinéraire que devait parcourir le docteur Livingstone dans son second voyage de 1858 à 1864.

Le 25 mai, après un voyage assez pénible au milieu d'un pays coupé de rios, ils arrivaient aux chutes connues géographiquement sous le nom de chutes Victoria.

Les admirables cataractes justifiaient leur nom indigène, qui signifie « fumée retentissante ». Ces nappes d'eau, larges d'un mille, précipitées d'une hauteur double de celle du Niagara, se couronnaient d'un triple arc-en-ciel. A travers la profonde déchirure du basalte, l'énorme torrent produisait un roulement comparable à celui de vingt tonnerres se déchaînant à la fois.

En aval de la cataracte, et sur la surface du fleuve devenu paisible, la chaloupe à vapeur, arrivée depuis quinze jours par un affluent inférieur du Zambèse, attendait ses passagers. Tous étaient là, tous prirent place à son bord.

Deux hommes restèrent sur la rive, le bushman et le foreloper. Mokoum était plus qu'un guide dévoué, c'était un ami que les Anglais, et principalement sir John, laissaient sur le continent africain. Sir John avait offert au bushman de le conduire en Europe et de l'y accueillir pour tout le temps qu'il lui plairait d'y rester ; mais Mokoum, ayant des engagements ultérieurs, tenait à les remplir. En effet, il devait accompagner David Livingstone pendant le second voyage que cet audacieux docteur devait bientôt entreprendre sur le Zambèse, et Mokoum ne voulait pas lui manquer de parole.

Le chasseur resta donc, bien récompensé, et — ce qu'il prisait davantage — bien embrassé de ces Européens qui lui devaient tant. La chaloupe s'éloigna de la

rive, prit le courant dans le milieu du fleuve, et le dernier geste de sir John Murray fut un dernier adieu à son ami le bushman.

Cette descente du grand fleuve africain, sur cette rapide chaloupe, à travers ses nombreuses bourgades qui semaient ses bords, s'accomplit sans fatigue et sans incidents. Les indigènes regardaient avec une superstitieuse admiration cette embarcation fumante, qu'un mécanisme invisible poussait sur les eaux du Zambèse, et ils ne gênèrent sa marche en aucune façon.

Le 15 juin, après six mois d'absence, le colonel Everest et ses compagnons arrivaient à Quilmiane, l'une des principales villes situées sur la plus importante bouche du fleuve.

Le premier soin des Européens fut de demander au consul anglais des nouvelles de la guerre...

La guerre n'était pas terminée, et Sébastopol tenait toujours contre les armées anglo-françaises.

Cette nouvelle fut une déception pour ces Européens, si unis maintenant dans un même intérêt scientifique. Ils ne firent pourtant aucune réflexion, et se préparèrent à partir.

Un bâtiment de commerce autrichien, *la Novara*, était sur le point d'appareiller pour Suez. Les membres de la commission résolurent de prendre passage à son bord.

Le 18 juin, au moment de s'embarquer, le colonel Everest réunit ses collègues, et d'une voix calme, il leur parla en ces termes :

« Messieurs, depuis près de dix-huit mois que nous vivons ensemble nous avons passé par bien des épreuves, mais nous avons accompli une œuvre qui aura l'approbation de l'Europe savante. J'ajouterai que de cette vie commune, il doit résulter entre nous une inébranlable amitié. »

Mathieu Strux s'inclina légèrement sans répondre.

« Cependant, reprit le colonel, et à notre grand regret,

la guerre entre l'Angleterre et la Russie continue. On se bat devant Sébastopol, et jusqu'au moment où la ville sera tombée entre nos mains...

— Elle n'y tombera pas ! dit Mathieu Strux, bien que la France...

— L'avenir nous l'apprendra, monsieur, répondit froidement le colonel. En tout cas, et jusqu'à la fin de cette guerre, je pense que nous devons nous considérer de nouveau comme ennemis...

— J'allais vous le proposer, » répondit simplement l'astronome de Poulkowa.

La situation était nettement dessinée, et ce fut dans ces conditions que les membres de la commission scientifique s'embarquèrent sur *la Novara*.

Quelques jours après, ils arrivaient à Suez, et au moment de se séparer, William Emery disait en serrant la main à Michel Zorn ;

« Toujours amis, Michel ?

— Oui, mon cher William, toujours et quand même ! »

table

Arthur le cow-boy solitaire
Arthur le kid et les bandits
masqués
Buffalo Arthur

Coué, Jean
Kopoli le renne guide
L'homme de la rivière Kwaï

Dahl, Roald
Charlie et la chocolaterie
Charlie et le grand ascenseur
de verre
Les deux gredins
L'enfant qui parlait aux
animaux
Fantastique Maître Renard
James et la grosse pêche

Daudet, Alphonse
La dernière classe et autres
contes du lundi
Lettres de mon moulin
Tartarin de Tarascon

Déon, Michel
Thomas et l'infini

Dhôtel, André
L'enfant qui disait
n'importe quoi

Dickens Charles
La vie de N.-S. Jésus-
Christ
Le grillon du foyer

Dumas, Alexandre
Histoire d'un casse-noisette

Escoula, Yvonne
Six chevaux bleus

Fallet, René
Bulle, ou la voix de l'océan

Faulkner, William
L'arbre aux souhaits

Fon Eisen, Anthony
Le prince d'Omeyya

Forsyth, Frederik
Le berger

Frère, Maud
Vacances secrètes

Gamarra, Pierre
Six colonnes à la une

Carrel, Nadine
Au pays du grand condor

Gordon, Donald
Alerte à Mach 3

Grandville
Scène de la vie privée et
publique des animaux
1) Peines de cœur d'une
chatte anglaise
2) Un renard pris au piège

Grimm
Hans-mon-hérissson
et treize autres contes
Les trois plumes
et douze autres contes

Gripari, Pierre
La sorcière de la rue
Mouffetard *et autres contes*
de la rue Broca, t. I
Le gentil petit diable
et autres contes de la rue
Broca, t. II

Guillot, René
Contes de la brousse fauve
Sama prince des éléphants

Halévy, Dominique
L'enfant et l'étoile

Hatano Isoko et Hatano
Ichirô
L'enfant d'Hiroshima